Edificar-se para a morte

Dados Internacionais de Catalogação na Publicação (CIP)
(Câmara Brasileira do Livro, SP, Brasil)

Sêneca
Edificar-se para a morte / Sêneca ; seleção, introdução, tradução e notas de Renata Cazarini de Freitas. – Petrópolis, RJ : Vozes, 2016.

Título original : Ad Lucilium Epistulae morales

4ª reimpressão, 2023.

ISBN 978-85-326-5266-9

1. Ética política 2. Filosofia antiga 3. Sêneca, ca. 4 a.C.-65
4. Sêneca, ca. 4 a.C.-65 – Crítica e interpretação
I. Freitas, Renata Cazarini de II. Título.

16-03288 CDD-188

Índices para catálogo sistemático:
1. Sêneca : Filosofia 188

Sêneca

Edificar-se para a morte

Das *Cartas morais a Lucílio*

Seleção, introdução, tradução e notas de
Renata Cazarini de Freitas

Petrópolis

Tradução do original em latim intitulado:
Ad Lucilium Epistulae morales

Rua Frei Luís, 100
25689-900 Petrópolis, RJ
www.vozes.com.br
Brasil

Editoração: Gleisse Dias dos Reis Chies
Diagramação: Sandra Bretz
Capa: Cumbuca Studio

ISBN 978-85-326-5266-9

Este livro foi composto e impresso pela Editora Vozes Ltda.

Sumário

Introdução

A leitura desta seleção de 22 cartas nos aproxima de duas práticas socioculturais já quase ausentes no século XXI: a correspondência e a direção espiritual. Voltar-se a estes textos breves, que se assentam nesses dois pilares, será transportar-se vinte séculos no passado, para a Roma do século I depois de Cristo. *Lucius Annaeus Seneca* ou Lúcio Aneo Sêneca, em português, escreveu em latim mais de uma centena de cartas que chegaram até os nossos dias, por vezes, com lacunas.

São cartas destinadas ao amigo Lucílio com o propósito explícito de orientar sua formação espiritual segundo os preceitos e princípios do Estoicismo, uma corrente filosófica que surgiu na Grécia em III a.C. e floresceu em Roma, posteriormente, como uma proposta de prática existencial pautada pela harmonia com a Natureza, entendida aqui como a ordenação harmônica do cosmo.

Sêneca escreve antes da disseminação do Cristianismo, portanto, num cenário pagão, mas é um autor que entende a razão como mentora do mundo – ela é a providência divina – e o homem, enquanto microcosmo, participa dessa razão e tem sua providência pessoal. Na carta 58, parágrafo 29, que integra esta seleção, Sêneca afirma:

Illud simul cogitemus, si mundum ipsum, non minus mortalem quam nos sumus, providentia periculis eximit, posse aliquatenus nostra quoque providentia longiorem prorogari huic corpusculo moram, si voluptates, quibus pars maior perit, potuerimus regere et coercere.

Ao mesmo tempo, pensemos sobre isto: se o próprio mundo, não menos mortal do que nós, a providência exime dos perigos, até certo ponto também pode ser prolongada a duração deste corpo débil pela providência de cada um de nós, se formos capazes de governar e dominar nossos prazeres, devido aos quais a maior parte perece.

Essa autonomia da razão que Sêneca atribui ao ser humano é um traço de sua obra literária que o aproxima da nossa realidade centrada no "eu", mas há também força retórica na sua produção de diálogos filosóficos e peças teatrais, com jogos de palavras e frases de efeito, as chamadas *sententiae*. Tudo isso faz dele um autor atual. Seus textos e estudos sobre esses textos têm se multiplicado recentemente no mercado editorial, em particular de língua inglesa. Veja ao final da introdução uma sugestão bibliográfica.

Sêneca tinha a expectativa de ficar para a posteridade com essa correspondência, como afirma ao destinatário[1]. Se essa troca epistolar aconteceu de fato, não há como afirmar, contudo, sua existência se justifica como

1 Ep. 21.5: "O que Epicuro pôde prometer a seu amigo, eu te prometo, Lucílio: serei reconhecido na posteridade, posso levar comigo nomes que vão perdurar" (*quod Epicurus amico suo potuit promittere, hoc tibi promitto, Lucili: habebo apud posteros gratiam, possum mecum duratura nomina educere*).

representante de um gênero literário bem-estabelecido na Antiguidade. Assim, o remetente deve ser encarado como um "eu poético", mesmo que haja tantas referências a fatos, pessoas e lugares, pois a linguagem epistolar é aparentada com a oralidade, estabelecendo uma relação de familiaridade com o leitor do século I d.C. ou do século XXI[2].

O terceiro fator que coloca Sêneca entre nossos contemporâneos é seu ecletismo. Ao mesmo tempo em que se inclui entre os estoicos e cita o fundador, Zenão de Cício, e seus seguidores, Sêneca é receptivo e até elogioso a preceitos e exemplos de outras escolas. Sócrates, Platão, Aristóteles, Epicuro são nomes recorrentes. O destinatário das cartas seria adepto do Epicurismo e o remetente, tentando convertê-lo ao Estoicismo, não se furta a introduzir no início da correspondência citações do filósofo da Escola do Jardim, apesar do antagonismo com a Escola do Pórtico[3].

A história do Estoicismo é tradicionalmente dividida em três momentos: primeiro, médio, tardio. Sêneca é um expoente dessa última fase, que durante o Império Romano desenvolveu especialmente sua vertente ética.

---

2 Ep. 75.1: "Tal como seria minha conversa se estivéssemos sentados ou caminhando juntos, simples e fluente, assim quero que sejam minhas cartas, que não tenham nada de estranho e artificial" (*qualis sermo meus esset si una desideremus aut ambularemos, inlaboratus et facilis, tales esse espistulas meas volo, quae nihil habent accersitum nec fictum*).

3 Ep. 80.1: "Então, não sigo os predecessores? Eu o faço, mas me permito descobrir e alterar e abandonar algumas coisas. Não me sujeito a eles, mas concordo com eles" (*non ergo sequor priores? facio, sed permitto mihi et invenire aliquid et mutare et relinquere; non servio illis, sed assentior*).

Incluíram-se também entre seus propagadores o escravo de origem grega Epiteto (55-135 d.C.) e o imperador Marco Aurélio (121-180 d.C.). Dos três, o único que se propôs a filosofar em latim foi Sêneca, seguindo uma lista enxuta e ilustre de autores como o epicurista Lucrécio (c.99-55 a.C.) e o acadêmico Cícero (106-43 a.C.).

Nascido em Córdoba, antiga província da Hispânia, entre 4 a.C. e 1 d.C., Sêneca mudou-se para Roma na infância, onde estudou com o estoico Átalo (ep. 63.5) e os neopitagóricos Sótion (ep. 49.2) e Papírio Fabiano (ep. 58.6). Viveu anos da juventude no Egito, voltou para a Urbe em 31 d.C., iniciando a carreira pública de um cidadão romano. Dez anos depois, foi exilado pelo imperador Cláudio, na Córsega, regressando após oito anos para ser o preceptor de Nero. Ativo no palco político do império de Nero desde o seu início, o alijamento progressivo de Sêneca resultou no suicídio decretado pelo antigo pupilo no ano 65. por suspeita de seu envolvimento numa conspiração.

O relato da morte de Sêneca que nos deixou o historiador latino Tácito em seus *Anais* é uma impressionante página da história, a ponto de ter inspirado pintores a retratá-la. A semelhança com o destino final do filósofo grego Sócrates, em 399 a.C., espelha o que Sêneca afirmou nas cartas sobre o homem preparado, a quem a morte não assusta (ep. 24.4, 70.9). O Estoicismo concebe a morte como um "indiferente". Em si, ela não é nem um bem nem um mal: é a virtude ou o vício que a qualifica (ep. 82).

Longe de ser o tema único da correspondência, a morte é, no entanto, muito provavelmente, o tema central. Desde a primeira carta, como um diretor espiritual, o remetente revela a intenção de convencer que a morte integra a vida, portanto, deve ser encarada com naturalidade. Ao longo da suposta troca epistolar ele usa exemplos de conduta (em latim, *exempla*), que vão além de Sócrates, resgatando da história romana modelos de virtude em situações emblemáticas, como Catão de Útica, que causou a própria morte diante da iminente perda da liberdade que adviria com o fim da República (ep. 24.6, 70.19, 82.12). A morte voluntária é um dos elementos culturais da Roma antiga que aflora nas cartas, além da escravidão e da violência nos espetáculos públicos.

Catão, esse cidadão romano, foi para Sêneca o exemplo mais próximo do sábio estoico, perfeição inalcançável. Na melhor hipótese, um homem dedicado aos estudos filosóficos torna-se um "*proficiens*", alguém que busca a sabedoria. E é assim que o próprio remetente se coloca: pronto a ensinar e a aprender a cada dia. Só a reflexão (em latim, *medidatio*) conduz, segundo Sêneca, ao entendimento de que o corpo é morada apenas temporária do espírito, que a virtude anda a par da constância, que uma vida feliz é estar em harmonia com o que a natureza provê – todas essas proposições estão registradas na epístola 120, que finaliza esta seleção como se fosse uma súmula.

As cartas, atribuídas aos anos finais da vida de Sêneca, são ilustradas por citações literárias frequentes de Virgílio, autor do poema épico *Eneida* e dos livros de poesia *Bucólicas* e *Geórgicas*, assim como é citado o poeta Horácio, ambos do século I a.C. Membro de uma elite que cultivava o grego como língua de cultura, o latim tem, segundo Sêneca, limitações para a especulação filosófica (ep. 58.1). Mesmo assim, ele insiste no uso de termos nativos, na esteira de Cícero e do mestre Papírio Fabiano.

São poucas as cartas desta seleção orientadas para a especulação filosófica e acentuadamente técnicas: 58, 65, 120. Mas não há uma sequer que não seja o reflexo da habilidade retórica de Sêneca. Seu estilo é pleno de sonoridades e ritmos, como nesta passagem aliterante da epístola 24.14: *dolor... quem in puerperio puella perpetitur*, traduzida como: "a dor... que a parturiente prova no parto". Se algum conhecimento de filosofia pode aguçar a leitura de certas passagens, a disponibilidade para apreciar aspectos literários do texto pode multiplicar a satisfação do leitor.

Poucas observações sobre a tradução são necessárias. No latim, o uso da segunda pessoa é natural, e isso foi respeitado na tradução em português. Contudo, nem sempre o "*tu*" em latim expressa uma relação com o interlocutor. Ele funciona também como um generalizante, quando se utiliza, então, a terceira pessoa em português. Algumas escolhas lexicais devem ser esclarecidas. "*Fortuna*", para o autor latino, se assemelha à nossa "sorte", mas era também uma divindade: o nome comum e o nome próprio são dificilmente distinguíveis semanticamente nas cartas, portanto, a opção recaiu sobre manter a grafia "fortuna".

O termo latino "*anima*" não foi traduzido. "*Animus*" e "*anima*" costumam ser indistintamente traduzidos por "alma" em português. Não é culpa dos tradutores, que apenas seguem os autores. No caso das cartas selecionadas, Sêneca é muito consistente na distinção das duas palavras, como se vê na epístola 58.10-14: "*anima*" é a força vital, de que carecem as pedras, por exemplo, mas que as plantas têm e, assim, as chamamos de "vivas"; já o "*animus*", que os ingleses traduzem por "*mind*" (mente), foi traduzido por "espírito", de onde se deriva o adjetivo que compõe expressões muito comuns em português como "vida espiritual", "saúde espiritual", "firmeza espiritual".

A edição do texto latino *Ad Lucilium epistulae morales* por L.D. Reynolds, de 1965, pela Oxford University Press, tem sido adotada por tradutores acadêmicos em diversas línguas e foi também a nossa escolha. Foram preservados os símbolos usados por ele na edição do texto latino: *** lacuna, <> inserção, [ ] exclusão.

A leitura das seguintes traduções foi fundamental:

Lettere a Lucilio. Prefácio, tradução e notas de Monica Natali. In: *Seneca Tutte Le Opere – a cura di Giovanni Reale*, p. 683-1.055. *Milão: Bompiani, 2000.*

Epístolas Morales a Lucilio. Tradução e notas de Ismael Roca Meliá. Biblioteca Clásica Gredos, vol. 92 e 129. Madri: Gredos, 1986 e 1989.

Seneca: Selected Philosophical Letters. Tradução com introdução e comentário de Brad Inwood. Oxford: Oxford University Press, 2007.

Seneca: Selected Letters. Tradução com introdução e notas de Elaine Fantham. Oxford: Oxford University Press, 2010.

Cartas a Lucílio. Tradução, prefácio e notas de J. A. Segurado e Campos. Lisboa: Fundação Calouste Gulbenkian, 2009.

Leituras complementares em português:

Sêneca: Tratado sobre a clemência. Introdução, tradução e notas de Ingeborg Braren. Petrópolis: Vozes, 2013.

Sêneca: Sobre a ira/Sobre a tranquilidade da alma. Tradução, introdução e notas de José Eduardo S. Lohner. São Paulo: Penguin/Companhia, 2014.

Sêneca e o estoicismo. Paul Veyne. Tradução de André Telles. São Paulo: Três Estrelas, 2015.

Os estoicos. Brad Inwood, organizador. Tradução de Paulo Fernando Tadeu Ferreira e Raul Fiker. São Paulo: Odysseus, 2006.

Léxico da filosofia grega e romana. Giovanni Reale, com Roberto Radice. Tradução de Henrique Cláudio de Lima Vaz e Marcelo Perine. São Paulo: Loyola, 2014.

Epístola 1

“Tudo na existência que ficou para trás pertence à morte” (*quidquid aetatis retro est mors tenet*): na primeira carta da coleção, como se já fosse uma resposta ao pupilo Lucílio, Sêneca argumenta que a única propriedade do ser humano é o seu tempo de vida, que deve ser bem gerido e valorizado, pois cada dia que passa entra no domínio da morte. Será tarde demais controlar esse gasto só no final da vida.

Cumprimentos de Sêneca a Lucílio[4].

1 Faz assim, meu caro Lucílio: toma posse de ti mesmo, e o tempo que até aqui ou te era roubado ou surrupiado ou se perdia, reúne e preserva. Convence-te de que é como eu te escrevo: uma fração do tempo é arrancada de nós, outra fração nos é subtraída, outra se esvai. Contudo, o desperdício mais vergonhoso é o que ocorre por negligência. E, se notares bem, grande parte da vida escapa aos que fazem pouco, a maior parte, aos que nada fazem e a vida inteira, aos que fazem o que não importa.

4 Todas as cartas iniciam-se com a saudação *Seneca Lucilio suo salutem* e se encerram com *Vale*. Evitamos a repetição a cada carta. Sabe-se pouco sobre *Gaius Lucilius Iunior*, a quem Sêneca dedica outras obras (*De Providentia* e *Naturales Quaestiones*). Foi *procurator* na Sicília e poeta (ep. 24.21).

2 Quem tu podes citar que ponha algum preço no tempo, que atribua um valor ao dia, que compreenda que está morrendo diariamente? De fato, nos deixamos enganar quanto a isso, porque vemos a morte mais à frente: grande parte dela já está no passado. Tudo na existência que ficou para trás pertence à morte. Logo, meu caro Lucílio, faz o que me escreves que vens fazendo: abraça todas as horas. Assim, acontecerá de dependeres menos do amanhã se tiveres tomado o hoje em tuas mãos. A vida transcorre enquanto é adiada.

3 Tudo é alheio a nós, Lucílio, apenas o tempo é nosso. Desse único bem fugaz e furtivo a natureza cedeu-nos a posse, da qual nos priva quem quiser. E é tamanha a estupidez dos mortais que até se sujeitam a ser cobrados quando obtiveram coisas mínimas e sem valor, que certamente podem ser repostas. Não deve se considerar devedor de nada quem aceitou o tempo, pois esta é a única coisa que nem mesmo um homem agradecido tem como restituir.

4 Perguntarás, talvez, o que faço eu, que te dito estes preceitos. Falarei abertamente: como acontece a quem gosta do luxo, mas é cuidadoso, faço o controle dos meus gastos. Não posso dizer que não perco nada, mas tenho como dizer o que perco e por que e de que maneira. Posso prestar contas da minha pobreza. Mas comigo acontece o mesmo que acontece com a maioria das pessoas reduzidas à indigência não pelo próprio erro: todos perdoam, ninguém socorre.

5 Qual a conclusão? Não considero pobre quem se satisfaz com o pouco que lhe resta, contudo, prefiro que tu preserves o que é teu, e começarás em boa hora, pois, como diziam nossos antepassados: "É tardia a parcimônia no final"[5]. De fato, o que fica no fundo não é apenas o restinho, mas a borra.

Desejo tudo de bom.

5 Citação aproximada do verso 369 de *Os trabalhos e os dias*, poema grego de Hesíodo (VII a.C.).

Epístola 4

“A maioria fica miseravelmente à deriva entre o medo da morte e as tormentas da vida e, não querendo viver, não sabe morrer” (*plerique inter mortis metum et vitae tormenta miseri fluctuantur et vivere nolunt, mori nesciunt*): o aprimoramento espiritual com a filosofia leva a uma compreensão que ultrapassa o medo da morte. Alcança a vida serena, protegida do acaso, quem a aceita como bem temporário.

1 Persiste tal como começaste e apressa-te o quanto puderes para que possas desfrutar por mais tempo do teu espírito transformado e harmonioso. Efetivamente, desfrutarás dele mesmo enquanto o transformas, mesmo enquanto ele vai se pondo em harmonia: é, no entanto, um prazer diferente o que se tira da contemplação de uma mente livre de qualquer mácula e esplêndida.

2 Com certeza, guardas ainda na memória quanta alegria sentiste quando, posta de lado a pretexta[6], assumiste a toga viril e foste conduzido ao fórum. Espera por alegria maior quando tiveres posto de lado teu espírito infantil e a filosofia tiver te alistado entre homens.

6 A toga pretexta, com borda púrpura, era substituída pela toga viril, inteiramente branca, aos 16 anos, quando o jovem era apresentado à vida pública no fórum, praça em que se faziam discursos políticos e judiciais, além de transações comerciais. A toga pretexta também cabia a senadores e magistrados.

De fato, até esse momento não é a infância que vigora, mas – o que é mais grave – a infantilidade. E isso, com efeito, é pior, porque temos a autoridade dos idosos, as falhas dos meninos. E não apenas dos meninos, mas das criancinhas: eles temem banalidades; elas, fantasias; nós, ambas as coisas.

3 Apenas prossegue: vais entender que certas situações devem ser menos temidas justamente porque causam muito medo. Não é grande o <mal>[7] derradeiro. A morte vem em tua direção: deveria ser temida se contigo ela pudesse coexistir, porém, necessariamente, ou ela não te alcança ou atravessa o teu caminho.

4 "É difícil levar o espírito a desdenhar a *anima*"[8], dizes. Não vês como se desdenha dela por motivos fúteis? Fulano pendurou-se numa forca à porta da amante, beltrano se atirou do telhado para que não ouvisse mais a ira do seu senhor, sicrano enfiou a espada no abdome para que não fosse recapturado na fuga. Não julgas que a virtude venha a conseguir isso que o medo exagerado consegue? Não pode contar com uma vida serena quem pensa demais sobre como prolongá-la, quem contabiliza entre seus maiores bens muitos anos de consulados[9].

5 Reflete sobre isso diariamente para que possas, com espírito tranquilo, deixar esta vida, à qual tantos se agarram e se prendem tal como a espinheiros e pedras

---

7 Suplementação do editor do texto latino. As inserções serão identificadas entre <>.

8 Sêneca claramente distingue os termos latinos *animus* ("espírito") e *anima*. Cf. Introdução e ep. 58.

9 A contagem dos anos na Roma antiga era feita pela identificação dos mandatos consulares.

os que são levados pela correnteza. A maioria fica miseravelmente à deriva entre o medo da morte e as tormentas da vida e, não querendo viver, não sabe morrer.

6 Desse modo, torna tua vida agradável abandonando toda a preocupação com ela. Bem algum é útil a seu dono se seu espírito não estiver preparado para perdê-lo. Ora, a perda menos dolorosa é a perda de algo de que não se sente falta. Logo, encoraja-te e te fortalece diante de situações que podem acontecer mesmo aos mais poderosos.

7 Um menor e um eunuco deram a sentença de morte a Pompeu[10]; no caso de Crasso[11], um persa cruel e insolente. Caio César[12] mandou Lépido[13] submeter o pescoço ao tribuno Dexter, e ele mesmo estendeu o seu a Quérea[14]. Ninguém a fortuna elevou tão alto que ela não ameaçasse com tudo quanto ela mesma havia permitido. Não confies nessa calmaria: o mar se torna revolto num segundo. Há navios que são tragados no mesmo dia em que se lançam ao mar.

---

10 *Cnaeus Pompeius Magnus* (106-48 a.C.), opositor de Júlio César, foi assassinado pelo eunuco e ministro Potino, tutor do rei egípcio Ptolomeu XIII (63-47 a.C.), irmão mais novo e marido de Cleópatra.

11 *Marcus Licinius Crassus Diues* (115-53 a.C.), membro do primeiro triunvirato, morto por um comandante do povo parto na batalha de Carras.

12 *Gaius Julius Caesar Augustus Germanicus* (12 d.C.-41 d.C.), o imperador Calígula.

13 *Marcus Aemilius Lepidus* (6-39 d.C.), casado com Julia Drusilla, irmã de Calígula, assassinado por suspeita de conspiração.

14 *Cassius Chaerea*, militar romano, comandante da Guarda Pretoriana, que matou Calígula.

8 Leva em conta que tanto um bandido como um inimigo pode colocar a espada na tua garganta. E se faltar uma autoridade maior, um escravo qualquer tem sobre ti poder de vida e morte. O que eu quero dizer é que quem quer que tenha desdém pela própria vida é senhor da tua. Relembra os exemplos dos que pereceram em armadilhas dentro de casa com o evidente uso da força ou por meio de algum ardil. Vais entender que não foram menos os que morreram devido à ira dos escravos do que à ira dos reis. Desse modo, que te importa quão poderoso é quem tu temes, uma vez que qualquer um é capaz disso que te causa medo?

9 Mas, por acaso, se caíres nas mãos do inimigo, o vencedor te dará o destino a que, sem dúvida, estás destinado. Por que enganas a ti mesmo e só agora entendes o que há muito já padecias? O que quero dizer é que estás destinado desde que nasceste. São coisas assim que devemos acalentar no espírito se desejamos esperar placidamente pela hora final, cujo medo transtorna todas as demais.

10 Mas para finalizar a carta, aceita o que me agradou no dia de hoje, também colhido em jardim alheio: "É uma grande riqueza a pobreza em harmonia com a lei da natureza"[15]. Ora, sabes quais limites a lei da natureza nos impõe? Não passar fome, nem sede, nem frio. Para que afastes a fome e a sede, não é necessário acomodar-se à soleira dos soberbos, nem aguentar seu cenho

---

15 Citação do Fragmento 477 Usenerdo filósofo grego Epicuro de Samos (341-270 a.C.), que ensinava no jardim de sua casa em Atenas, por isso, chamada Escola do Jardim ou Epicurismo. "Usener" refere-se a Hermann Karl Usener (1834-1905), filólogo alemão que reuniu a obra de Epicuro (*Epicurea*), em 1887.

franzido e mesmo sua ultrajante cortesia; não é necessário arriscar-se nos mares, nem seguir tropas. O que a natureza requer está disponível e ao alcance.

11 Derrama-se suor por coisas supérfluas. São elas que desgastam a toga, que nos obrigam a envelhecer sob uma tenda, que nos empurram para praias estrangeiras. Temos o suficiente à mão. Quem convive bem com a pobreza é rico.

Epístola 12

"Ninguém é tão velho que não mereça ter a esperança de mais um dia" (*nemo tam senex est ut inprobe unum diem speret*): a velha casa perto de Roma evidencia a velhice do autor, que constrói a imagem de círculos concêntricos para representar as fases da vida. Mesmo a idade avançada, mas sem decrepitude, pode ser prazerosa. Até a ausência de prazeres pode ser um deles. Leia a carta 61.

1 Para onde quer que eu me vire, vejo provas da minha velhice. Eu tinha vindo para a minha casa dos arredores de Roma[16] e reclamava das despesas com o edifício em ruínas. O caseiro me diz que não se trata de negligência sua, que ele faz de tudo, mas que a *villa* está velha. Esta *villa* cresceu comigo. Que futuro tenho eu se estão tão desgastadas as pedras que têm a minha idade?

2 Irado com ele, agarro a primeira oportunidade de esbravejar. "É evidente que estes plátanos estão sendo negligenciados, não têm copas. Como estão nodosos e ressequidos os seus galhos, como estão feios e esquálidos os troncos! Isto não aconteceria se alguém revolvesse a terra em volta deles, se os irrigasse", digo. Ele jura, pelo meu

---

16 Estudiosos divergem sobre qual *villa* é referida aqui. Talvez em Nomento, atual Mentana, a 23km de Roma. Cf. Roca Meliá, vol. 1, p. 136, n. 283. Mas como esta foi adquirida apenas sob o império de Nero, a *villa* em questão deve ser a antiga casa da família nos arredores de Roma. Cf. Fantham, Introd., p. xxix.

gênio[17], que faz de tudo, que em situação alguma cessam os seus cuidados, mas que eles estão velhinhos. Que isto fique entre nós: eu mesmo os tinha plantado, eu tinha visto suas primeiras folhas.

3 Virado para a porta, digo: "Quem é esse? Esse homem decrépito e, com razão, colocado junto da passagem? Já está de olho lá fora[18]. De onde tiraste esse sujeito? Que prazer te deu pegar um morto que não é um dos nossos?" Mas o outro diz: "Não me reconheces? Eu sou Felício, para quem costumavas trazer figuras de argila[19]. Sou o filho do caseiro Filósito, sou o teu queridinho"[20]. Eu digo: "Esse delira completamente: um menininho, ele se tornou mesmo o meu querido? Pode até estar acontecendo isso: está exatamente na fase de perder os dentes".

4 À minha casa dos arredores de Roma, devo o fato de a minha velhice ter ficado evidente para mim em todo o canto para o qual eu me virasse. Abracemos e amemos a velhice, repleta de prazeres se tu souberes aproveitá-la. São deliciosíssimos os frutos totalmente maduros; é no final da puerícia[21] que está seu maior

---

17 Os romanos acreditavam que cada homem tinha uma divindade tutelar desde o nascimento, seu *genius*.

18 O tradutor da edição Gredos observa que a ironia reside na prática romana de velar o cadáver no átrio, junto à porta, com os pés voltados para a saída. Cf. Roca Meliá, vol. 1, p. 137, n. 286.

19 Nos festejos chamados *Sigillaria*, que se seguiam às *Saturnalia*, em dezembro, ofereciam-se pequenas estatuetas de argila, inclusive dos senhores para os escravos.

20 O termo latino "*delicium*", no diminutivo "*deliciolum*", era usado para crianças queridas ou escravos.

21 Na Roma antiga, segundo Isidoro de Sevilha (VII d.C.), considerava-se a infância até os 7 anos, a puerícia até os 14 anos, a adolescência até os 28 anos, a juventude até os 50 anos. Cf. ep. 24.20.

encanto; os devotos do vinho se deleitam com a última taça, a que os afunda, que dá o empurrão definitivo para a embriaguez.

5 O que cada prazer tem de melhor fica reservado para o fim. A melhor idade é a já avançada, mas não decadente, e julgo que tenha seus prazeres até aquela que está à beira do fim. Ou, no lugar dos prazeres, acontecer de não sentir falta deles. Como é doce ter-se cansado de desejos e tê-los abandonado!

6 "É penoso encarar a morte", dizes. Primeiro, tanto o velho como o jovem precisam encará-la (pois não somos chamados por faixa etária), depois, ninguém é tão velho que não mereça ter a esperança de mais um dia. Ora, um dia é um degrau da vida. Uma existência inteira se constitui de fases e tem círculos maiores circundando os menores: há um que engloba e cinge todos (este se refere do nascimento ao derradeiro dia), há outro que delimita os anos da adolescência, há o que encerra no seu âmbito a puerícia inteira. Além disso, há o ano *per se*, contendo em si todas as estações, que, multiplicadas, compõem uma vida. O mês é cingido com um círculo mais estreito. O dia tem a rota mais curta, mas também esta vai do início ao fim, da aurora ao ocaso.

7 Por isso, Heráclito[22], cuja alcunha veio da obscuridade do seu discurso, disse: "Um dia é igual a todos".

---

22 Heráclito de Éfeso (c. 535-475 a.C.), filósofo pré-socrático, era conhecido como "o obscuro" pelas sentenças oraculares na obra "Sobre a natureza", a ele atribuída. O texto é o Fragmento 106 Diels-Kranz. Hermann Alexander Diels (1848-1922), filólogo, reuniu textos e fragmentos dos filósofos pré-socráticos. Deu continuidade a essa obra o filólogo Walther Kranz (1884-1960).

Cada um interpretou isso à sua maneira. De fato, disse ***[23]que é igual em horas, e não está mentindo, pois se um dia é o período de vinte e quatro horas, necessariamente todos os dias são iguais porque a noite completa o que faltou ao dia. Outro disse que um só dia é igual a todos por semelhança. De fato, o mais longo intervalo de tempo não tem nada que não se encontre também num só dia: luz e noite. E, na alternância de estações do globo, são mais numerosos, mas não <diferentes>[24] *** às vezes mais curto, às vezes mais longo.

8 Desse modo, cada dia deve ser ordenado assim, como se fosse o último da fila, e encerrasse e completasse a vida. Pacúvio[25], que usurpou a Síria como sua, quando tinha homenageado a si mesmo com vinho e famosos banquetes fúnebres, fazia-se levar da sala de jantar para o quarto de modo que, entre aplausos de devassos, se cantasse com acompanhamento musical isto: βεβίωται, βεβίωται[26].

9 Todos os dias fez o seu próprio funeral. O que ele fazia sem consciência, devemos fazê-lo de sã consciência e, ao irmos dormir, alegres e contentes, devemos dizer: "Vivi e cumpri o percurso que a fortuna havia traçado"[27].

---

23 O trecho tem lacunas não supridas, identificadas por ***.

24 Lacuna suprida com <*alia*> pelo editor do texto latino, mas persiste trecho não suplementado. A conjectura entre tradutores é quanto a noites ou dias mais curtos e mais longos.

25 Pacúvio atuou como governador da Síria, embora fosse apenas um legado de Élio Lâmia, nomeado sob o império de Tibério (14-37 d.C.).

26 Literalmente, do grego, "viveu, viveu", significando "está morto, está morto".

27 Citação da *Eneida* IV.653, épico latino do poeta Virgílio (I a.C.).

Se deus adicionar um amanhã, devemos recebê-lo com alegria. É muito feliz e sereno senhor de si quem espera o dia de amanhã sem preocupação. Qualquer um que disse "eu vivi" levanta-se diariamente no lucro.

10 Mas já devo concluir esta carta. Dizes: "Ela chegará até mim assim, sem nenhum agrado?" Não temas. Ela traz alguma coisa. Eu disse "alguma coisa"? Muito! O que é, de fato, mais notável do que esta máxima que confio a ela que te entregue? "É um mal viver na necessidade, mas não é necessário viver na necessidade"[28]. E por que seria? Por todo lado, muitas vias se abrem para a liberdade, curtas e fáceis. Agradeçamos a deus que ninguém tenha que ficar preso à vida: é permitido desprezar essas mesmas necessidades.

11 Dizes: "Foi Epicuro[29] que falou isso. Que te interessa o que não te pertence?" O que é verdadeiro também é meu. Continuarei a te alimentar de Epicuro para que estes, que juram sobre as palavras dos outros e não apreciam "o que" se diz, mas "quem" diz, saibam que as melhores coisas são bens de todos.

---

28 Citação do filósofo grego Epicuro, Fragmento 487 Usener.

29 O filósofo grego Epicuro de Samos.

Epístola 23

"É preciso definir o que queremos e perseverar nisso" (*constituendum est quid velimus et in eo perseverandum*): encontramos a felicidade dentro de nós, não no que nos é exterior e passageiro. Só quem se mantém num curso de vida calmo e constante pode dizer que viveu o bastante.

1 Julgas que eu pretendo te escrever sobre como nos tratou com humanidade o inverno, que foi brando e breve, como está sendo maligna a primavera, como o frio está fora de época e outras bobagens de quem fica buscando o que falar? Eu, na verdade, escreverei sobre o que pode ser útil a mim e a ti. Ora, o que será isso, senão exortar-te a uma mente sã? Perguntas qual o fundamento disso? Isso é para que não te rejubiles com coisas vãs. Eu disse que isso é o fundamento. É a culminância.

2 Chega ao ápice quem sabe o que lhe traz júbilo, quem não depositou nas mãos de outro a própria felicidade. É ansioso e inseguro de si quem se deixa levar por uma esperança qualquer, ainda que ela esteja ao alcance, ainda que não seja difícil obtê-la, ainda que suas esperanças jamais o tenham traído.

3 Antes de tudo, meu caro Lucílio, faz isto: aprende a rejubilar-te. Agora pensas que eu, que te subtraio ao que é fortuito, que penso que as esperanças, distrações tão doces, devem ser evitadas, te privo de muitos prazeres? Muito pelo contrário, não quero que jamais te falte alegria. Quero que ela seja natural na tua morada: ela é natural se está ao menos dentro de ti. Outros contentamentos não preenchem o coração, relaxam a fronte, são frívolos. A menos que tu, talvez, suponhas que quem ri se rejubila: o espírito precisa estar disposto e confiante e sobranceiro a tudo.

4 Creia em mim: o verdadeiro júbilo é coisa séria. Ou tu pensas que qualquer um, com a feição descontraída e – como dizem esses esnobes – "alegrinha", desdenha a morte, abre sua morada à pobreza, refreia os prazeres, reflete sobre a resignação às dores? Quem revolve em si estas coisas alcança grande júbilo, porém pouco contagiante. É deste júbilo que eu quero que te apoderes: ele nunca te deixará uma vez que tenhas descoberto de onde obtê-lo.

5 Os metais de baixo valor estão logo à superfície. São valiosíssimos aqueles cujo veio se esconde fundo, prontos a dar mais retorno a quem os escava assiduamente. Essas coisas com as quais o povo se deleita dão prazer momentâneo e aparente, e qualquer júbilo superficial carece de fundamento. Isso de que te falo, para o que tento te conduzir, é sólido e se revela mais no teu interior.

6 Caríssimo Lucílio, eu te peço, faz a única coisa que pode garantir a tua felicidade: extirpa e esmaga essas coisas de esplendor extrínseco, que te são prometidas por outra pessoa ou que dependem de outra. Mira no verdadeiro bem e rejubila-te contigo. Ora, o que é esse "contigo"? Tu mesmo e a melhor parte de ti. Também este nosso débil corpo, mesmo se não se pode fazer nada sem ele, crê, é algo mais necessário do que valioso. Ele instiga em nós prazeres vãos, breves, reprováveis e que, se não forem geridos com muita moderação, tendem a converter-se no seu contrário. O que estou dizendo é que um prazer sem limites precipita-se em dor. Ora, é difícil impor limites ao que se acreditava ser um bem, mas é segura a voracidade pelo verdadeiro bem.

7 Perguntas o que ele é ou de onde ele vem? Eu te direi: da consciência tranquila, das decisões honradas, das ações corretas, do desdém pelo que é fortuito, de um curso de vida calmo e constante que persiste num só caminho. Pois aqueles que ficam mudando de propósitos ou que não ficam mudando, efetivamente, mas são levados pelo acaso, de que modo esses diletantes e divagadores podem ter qualquer coisa de previsível ou de duradouro?

8 São poucos os que dispõem de si mesmos e de suas coisas com decisão. Os demais, cujas coisas flutuam ao sabor dos rios, não avançam, mas deixam-se levar. Algumas dessas coisas, uma ondulação mais suave reteve e carregou com mais delicadeza, outras, ela arrastou com mais veemência. Algumas, ela depositou na beirada quando passava mais lenta, outras, o impacto torrencial lançou ao mar. Por isso, é preciso definir o que queremos e perseverar nisso.

9 A esta altura devo pagar minha dívida. De fato, posso te retribuir com uma máxima do teu Epicuro[30] e desobrigar esta carta: "É penoso estar sempre principiando

---

30 Citação do filósofo grego Epicuro, Fragmento 493 Usener.

a vida". Ou, se faz mais sentido expresso deste modo: "Mal vivem os que estão sempre começando a viver".

10 Dizes: "Por quê?" De fato, esta máxima merece uma explicação. Porque, para essas pessoas, a vida está sempre incompleta. Ora, não pode estar preparado para a morte quem apenas começa a viver. É preciso agir para que tenhamos vivido o bastante: ninguém que está iniciando a vida justo agora consegue isso.

11 Não deves pensar que eles são poucos: são praticamente todos. Na verdade, uns estão começando bem na hora de partir. Se julgas isso surpreendente, acrescentarei algo que te surpreenderá mais: uns deixaram de viver antes que começassem.

Epístola 24

"A tal ponto não é preciso temer a morte que ela traz o benefício que não se tema nada" (*adeo mors timenda non est ut beneficio eius nihil timendum sit*): um catálogo de exemplos de homens que venceram a morte ao terem optado por ela é o recurso de Sêneca na formação do seu interlocutor. No parágrafo 14, o autor dirige-se diretamente à morte e à dor. Leia a carta 70.

1 Estás preocupado, segundo escreves, com o desfecho do processo em que és acusado devido à fúria de um inimigo. Pensas que estou pronto a persuadir-te de que deves prever o melhor e de que deves ter confiança e esperança. Qual a necessidade, de fato, de lidar já com esses males, antecipar o que vais sofrer logo que eles ocorrerem, desperdiçando o momento presente por medo do futuro? Sem dúvida, é tolice que já estejas infeliz porque futuramente podes ser infeliz.

2 Mas eu te conduzirei por outra via rumo à serenidade. Se desejas livrar-te de toda preocupação, passa a prever que está para acontecer, de um modo ou de outro, tudo o que temes que aconteça, e qualquer que seja esse mal, mede-o contigo mesmo e calcula o teu temor: vais entender, com certeza, que nem é grande nem prolongado o que te causa medo.

3 E não custa muito reunir exemplos com os quais te fortaleças: cada época teve os seus. De qualquer capítulo da história política ou militar que puxes pela memória há de te ocorrer pessoas engenhosas, seja pelo êxito seja pelo grande arrojo. Se fores condenado, o que de pior pode te acontecer do que ser enviado ao exílio, do que ser levado ao cárcere? O que alguém pode temer mais do que ser queimado, do que perecer? Define uma a uma essas situações e chama como testemunha os que as desdenharam, que não precisam nem ser procurados, só selecionados.

4 Rutílio[31] aguentou sua condenação como se nada o incomodasse exceto que tivesse sido julgado injustamente. Metelo[32] aguentou o exílio com bravura, Rutílio até mesmo de bom grado: o primeiro serviu à República ao retornar, o outro disse "não" à oferta de retorno feita por Sula[33], a quem, então, não se negava nada. No cárcere, Sócrates debateu filosofia e não quis partir, embora houvesse pessoas que lhe prometessem o exílio, e ficou para eliminar o medo que o ser humano tem de duas coisas seríssimas: a morte e o cárcere.

5 Múcio[34] colocou a própria mão nas chamas. É atroz se queimar, ainda mais atroz se fores o agente do teu próprio sofrimento. Aqui tens um homem que não era erudito

---

31 *Publius Rutilius Rufus*, historiador estoico banido por Sula. Cônsul em 105 a.C.

32 *Metellus Quintus Caecilius* ou *Numidicus*, comandante militar com vitórias sobre o rei Jugurtha, da Numídia, foi acusado de extorsão, exilado e, posteriormente, inocentado. Cônsul em 109 a.C.

33 *Lucius Cornelius Sulla*, ditador romano do século I a.C.

34 *Gaius Mucius Cordus* ou *Scaevola* invadiu o acampamento militar etrusco para matar Porsena, que cercava Roma com o intuito de restabelecer a monarquia dos Tarquínios contra a nova República.

nem equipado com quaisquer preceitos contra a morte ou a dor, instruído apenas no vigor militar, cobrando de si uma punição pelo esforço malfadado. Manteve-se em pé assistindo à desintegração de sua mão direita no braseiro do inimigo e não removeu a mão que se desfazia em ossos nus até que foi subtraído o fogo pelo próprio inimigo. Ele poderia ter feito naquele acampamento militar algo mais ditoso, nada mais corajoso. Observa como a coragem para enfrentar os perigos é mais impetuosa do que a crueldade para causá-los. Porsena[35] perdoou mais facilmente Múcio porque este tinha desejado matá-lo do que Múcio a si mesmo porque não o matara.

6 Dizes: "Tais histórias foram decantadas em todas as escolas, logo vais falar-me de Catão[36] quando tratares do desdém que se deve ter pela morte". E por que não devo falar que ele lia o livro de Platão naquela última noite, com a espada colocada junto à cabeça? Naquela situação extrema, ele havia contemplado dois instrumentos, um que o estimulasse a morrer, outro que tornasse isso possível. Logo, resolvida a situação, tanto quanto podia ser resolvida uma situação crítica e derradeira, ele considerou necessário evitar que a alguém ou fosse permitido matar ou coubesse salvar Catão.

7 Com a espada em riste, que até aquele dia ele preservara isenta de qualquer crime, disse: "Nada conseguiste, fortuna, interpondo-se a todos os meus esforços. Até agora não foi pela minha liberdade, mas pela da pátria

---

35 *Porsenna*, rei da Etrúria que declarou guerra contra Roma, mas depois aceitou a paz.

36 *Marcus Porcius Cato Uticensis* foi comandante militar, aliado de Pompeu na defesa da República. Matou-se em 46 a.C., em Útica, aos 49 anos.

que eu lutei. Nem eu agia com tanta determinação para que pudesse viver livre, mas entre homens livres. Agora, visto que é deplorável a situação do gênero humano, Catão deve se retirar para um lugar seguro".

8 Em seguida, ele se infligiu uma ferida mortal. Depois de suturada pelos médicos, embora tivesse menos sangue, menos forças, idêntico ânimo, já não irado apenas com César, mas consigo mesmo, levou suas mãos nuas à ferida e aquele generoso sopro de vida, que desdenhava todo poder, ele não o desalojou, mas o expulsou.

9 Não trago aqui, agora, exemplos para exercitar meu engenho, mas para exortar-te a fazer frente ao que te aparenta ser o mais terrível. Ora, exortar-te será mais fácil se eu mostrar que não apenas homens valentes desdenharam esse momento em que se exala a *anima*, mas que certos homens covardes para outras coisas, nessa situação, se igualaram em espírito aos mais valentes, tal como aquele Cipião[37], sogro de Gneu Pompeu[38], que, levado à África por um vento contrário, depois que viu sua embarcação ser tomada pelos inimigos, trespassou-se com a espada e, aos que perguntavam onde estava o comandante, dizia: "O comandante passa bem".

10 Essa frase o equiparou a seus antepassados e não permitiu que a glória predestinada aos Cipiões na África fosse interrompida[39]. Foi um grande feito vencer

---

37 *Quintus Scipio Metellus Caecilianus Pius*, pai de Cornélia, esposa de Gneu Pompeu, em favor do qual lutou contra Júlio César. Cônsul em 52 a.C.

38 *Cneus Pompeius* foi comandante militar e principal adversário de Júlio César em favor da República.

39 *Publius Scipio Cornelius* ou *Africanus* venceu o comandante cartaginês Aníbal na Segunda Guerra Púnica, no século III a.C. Já seu

Cartago, mas maior vencer a morte. Ele disse: "O comandante passa bem". Ou devia um comandante – e, por sinal, de Catão – morrer de maneira diferente?

11 Não te levo de volta à história, nem reúno os que têm demonstrado desdém pela morte através dos séculos, que são muitos. Olha para a nossa época, da qual nos queixamos pela languidez e pelas futilidades: surgirão pessoas das diferentes ordens[40], de diferentes sortes, de idades diferentes, que se desligaram de seus males com a morte. Acredita em mim, Lucílio, a tal ponto não é preciso temer a morte que ela traz o benefício que não se tema nada.

12 Desse modo, ouve com serenidade as ameaças do teu inimigo e embora tua consciência te traga confiança, visto que muitas circunstâncias externas à causa também têm peso, tanto espera o que é mais justo como te prepara para o mais injusto. Ora, lembra-te, acima de tudo, de eliminar o que convulsiona as situações e de enxergar o que existe em cada uma delas: descobrirás que não há nada de terrível exceto o próprio temor.

13 O que vês acontecer a meninos também se passa conosco, meninos crescidos: as pessoas que eles amam, com as quais estão acostumados, com as quais brincam, se as veem mascaradas, assustam-se. É preciso desmascarar não só as pessoas, mas as situações, e a elas devolver sua feição verdadeira.

---

neto *Publius Scipio Aemilianus* ou *Africanus Minor* destruiu Cartago na Terceira Guerra Púnica, no século II a.C.

40 A sociedade romana era dividida em ordens: senatorial (*ordo senatorius*) e equestre (*ordo equester*), além dos libertos e dos escravos.

14 Por que diante de mim ostentas espadas e chamas e uma turba de carrascos ruidosa à tua volta? Priva-te dessa pompa sob a qual te ocultas e com a qual aterrorizas os estúpidos: tu és a morte, que um escravo meu e uma criada, recentemente, desdenharam. Por que com tanta circunstância exibes a mim, de novo, chibatas e equipamentos de tortura?[41] Por que diferentes máquinas aptas a romper diferentes articulações e mil outros instrumentos de trinchar pessoas pedaço por pedaço? Põe de lado essas coisas que nos deixam estupefatos. Comanda que se calem os gemidos e os gritos e a atrocidade de falas arrancadas em meio a dilacerações: és, sem dúvida, a dor que o doente de gota desdenha, que o dispéptico desafia com suas delícias, que a parturiente prova no parto. És leve se posso suportá-la. Se não posso, és breve.

15 Revolve no teu espírito isto que tantas vezes ouviste, tantas vezes falaste. Mas se ouviste de verdade, se falaste de verdade, prova-o com resultados. De fato, o mais vergonhoso é que costumam nos acusar de lidarmos apenas com a literatura filosófica, não com a sua prática. O quê? Só agora tomaste ciência da ameaça permanente da morte? Só agora, do exílio? Só agora, da dor? Nasceste para isto. Tudo que pode nos acontecer, devemos pensar como prestes a acontecer.

16 O que aconselho que faças, sei que certamente o fizeste. Agora advirto que não deixes essa preocupação sufocar teu espírito, pois ele estará mais fraco e terá menos energia quando tiver que se reerguer. Afasta-o da causa

---

41 Sêneca menciona especificamente o *equuleus* ou *eculeus*, uma mesa de tortura para estirar os membros, feita em madeira, na forma de um cavalete.

individual em favor da causa pública. Diz que é frágil e mortal esse teu débil corpo, no qual a dor deixará provas não apenas de uma agressão ou de violências maiores – os próprios prazeres transformam-se em tormentos: banquetes causam indigestão, bebedeiras causam torpor dos nervos e tremores, libidinagem causa deformidades nos pés, mãos e em todas as articulações.

17 Ficarei pobre: vou estar entre a maioria. Ficarei exilado: vou me julgar um nativo do lugar para onde me mandarem. Serei agrilhoado: e daí? Agora estou solto? A natureza me vinculou a este pesado fardo do meu corpo. Morrerei. O que estás dizendo é: "Já não poderei adoecer, não poderei ser agrilhoado, não poderei morrer".

18 Não sou tão inepto a ponto de seguir a esta altura a cantilena epicurista e de afirmar que é infundado o medo do mundo inferior, que Íxion[42] não é revirado na roda, que a pedra nos ombros de Sísifo[43] não é empurrada na direção contrária, que as vísceras de alguém[44] não podem ser devoradas e renascer a cada dia: ninguém é tão pueril a ponto de temer Cérbero[45] e as

---

42 Na mitologia clássica, Íxion foi um rei da Tessália, atado a uma roda em perpétuo movimento por haver tentado seduzir Juno, esposa do supremo deus Júpiter.

43 Sísifo, príncipe da era heroica, fundador de Corinto, segundo a mitologia clássica, foi condenado a rolar uma pedra para o alto de uma montanha para sempre: ela mal alcançava o topo, descia novamente.

44 Sêneca deve referir-se a Tício, gigante morto a flechadas por Apolo e Diana e precipitado no Tártaro, onde um abutre lhe devorava o fígado, nos relatos mitológicos.

45 Na mitologia clássica, Cérbero é o enorme cão de três cabeças que guarda a entrada do reino de Plutão.

trevas e o feitio fantasmático dos que se constituem de ossos desnudados. Ou a morte nos aniquila ou ela nos liberta: se desalojados, privados do nosso fardo, coisas melhores nos aguardam; se aniquilados, nada nos aguarda, foi igualmente removido o bom e o ruim.

19 Autoriza-me a esta altura a citar um verso teu, desde que antes eu te advirta que deves julgar ter escrito isto não para outros, mas para ti mesmo. É vergonhoso falar uma coisa e sentir outra. Ainda mais vergonhoso é escrever uma coisa e sentir outra. Lembro-me que um dia tu trataste deste lugar-comum: não tropeçamos na morte de repente, mas caminhamos até ela passo a passo.

20 Morremos um pouco a cada dia. De fato, a cada dia, uma parte da vida se perde. Então, também, enquanto crescemos, a vida decresce. Perdemos a infância, em seguida, a puerícia, em seguida, a adolescência[46]. Todo o tempo que passou até o dia de ontem está extinto. Este dia mesmo que estamos vivendo, o dividimos com a morte. Do mesmo modo que não é a última gota que esvazia a clepsidra, mas tudo o que escorreu antes, também a hora derradeira, na qual deixamos de existir, não constitui sozinha a morte, mas ela sozinha a consuma. Chegamos, então, até ela, mas demoramos a chegar.

21 Depois que tinhas descrito estas coisas com a tua costumeira eloquência – de fato, sempre majestoso, contudo, nunca mais pungente do que quando colocas as palavras a serviço da verdade –, disseste:

---

46 Cf. nota 21.

A morte que vem a nós não é única,
Porém, essa que nos leva é a última[47].

Prefiro que leias a ti mesmo que a minha carta. De fato, ficará claro a ti que esta morte que tememos é a derradeira, mas ela não está sozinha.

22 Sei o que aguardas. Questionas o que eu inseri nesta carta, que dito espirituoso de alguém, que preceito útil. Vai te ser enviado algo desta matéria mesma que tínhamos em mãos. Epicuro reprova igualmente os que cobiçam a morte e os que a temem, dizendo: "É ridículo correr para a morte entediado com a vida uma vez que foi com teu estilo de vida que provocaste essa corrida para a morte"[48].

23 Assim, em outra passagem ele diz: "O que é mais ridículo do que assediar a morte uma vez que tornaste inquieta a tua vida com o medo da morte?"[49] Podes somar a esses ditos também aquele de mesmo teor, que tamanha é a imprudência dos homens, ou melhor, a demência, que alguns são coagidos à morte pelo temor de morrer.

24 Tratando com qualquer destes ditos, fortalecerás o espírito para lidar quer com a morte quer com a vida. De fato, devemos ser orientados e fortalecidos para ambos: nem amemos demais a vida nem a odiemos demais. Mesmo quando a razão nos persuade a dar cabo dela mesma, não se deve tomar a iniciativa às cegas e às pressas.

---

47 Verso hexâmetro datílico em latim. Supõe-se que um poema do destinatário: "*mors non una venit, sed quae rapit, ultima mors est*". Citação recolhida como Fragmento 3 Morel de *Lucilius Iunior*. Willy Morel (1894-1973), filólogo, reuniu fragmentos de poetas latinos: *Fragmenta poetarum Latinorum* (1927).

48 Citação do filósofo grego Epicuro, Fragmento 496 Usener.

49 Citação do filósofo grego Epicuro, Fragmento 498 Usener.

25 O homem corajoso e sábio não deve fugir da vida, mas sair dela e, acima de tudo, também deve evitar aquela paixão que conquistou muitos: a vontade de morrer. De fato, meu caro Lucílio, tanto quanto para outras coisas, também para a morte o espírito tem uma inclinação imprudente, que se apodera muitas vezes de homens dignos e de índole muito forte, outras tantas, dos covardes e passivos. Os primeiros têm desdém pela vida, os últimos se deixam oprimir por ela.

26 Alguns ficam cansados de fazer e ver as mesmas coisas, e não têm ódio, mas um fastio com a vida. Escorregamos nesta direção com um empurrão da própria filosofia no momento em que afirmamos: "Até quando mais do mesmo? Com certeza, vou acordar e dormir, <vou comer>[50] e ter fome, e sentirei frio e calor. Não existe o fim de coisa alguma, mas tudo foi conectado num ciclo, as coisas vêm e vão: a noite persegue o dia que persegue a noite, o verão desaparece no outono, o outono é pressionado pelo inverno, que é contido pela primavera. Assim, tudo passa para que possa voltar. Não faço nada novo, não vejo nada novo: em algum momento, também se enjoa dessa situação". Há muitos que julgam que viver não é amargo, mas supérfluo.

---

50 Suplementação do editor do texto latino.

Epístola 26

"Quem aprendeu a morrer desaprendeu a servir: está acima de toda autoridade, pelo menos fora do alcance dela" (*qui mori didicit servire dedidicit; supra omnem potentiam est, certe extra omnem*): a liberdade conquistada com a meditação sobre a morte fortalece o espírito, autônomo em relação ao corpo, que é um fardo na velhice. Leia a carta 12.

1 Não faz muito, eu te dizia estar na presença da velhice: já temo ter deixado a velhice para trás. Em relação a estes meus anos – pelo menos, a este meu corpo – já convém usar outro termo posto que "velhice" é o nome que se dá, de fato, à idade avançada, não à idade crítica: inclui-me entre os decrépitos e que estão atingindo a hora final.

2 Contudo, a ti eu falo que dou graças a mim mesmo: não sinto no espírito o dissabor da idade, embora o sinta no corpo. Apenas envelheceram meus vícios e o que estava a serviço desses vícios. Meu espírito está vigoroso e se rejubila de não ter muito a ver com este corpo: despojou-se da maior parte do seu fardo. Ele exulta e cria controvérsias comigo sobre a velhice, diz que ela é a sua fina flor. Devemos dar-lhe crédito, que ele desfrute do bem que possui.

3 Ele manda que eu me volte à reflexão e que reconheça o que é que devo à sabedoria por esta tranquilidade e moderação de hábitos, o que é que devo à minha idade; que eu examine cuidadosamente as coisas que não posso fazer, as coisas que não quero fazer, dispondo-me, desse modo, a tomar como se eu não quisesse fazer o que me rejubila não poder fazer. De fato, qual a lamúria, qual o incômodo, se o que devia acabar desapareceu?

4 Dizes: "É extremamente incômodo ir se consumindo, se desfazendo, para dizer a verdade, se liquefazendo. De fato, não recebemos subitamente um golpe que nos prostrou. Vamos sendo colhidos: cada um dos dias subtrai um pouco de nossas forças". E há saída melhor do que ir se esvaindo até o próprio fim enquanto a natureza está nos libertando? Não que haja algum mal num golpe e numa partida repentina da vida, mas é que esta via, a de ir sumindo, é amena. Eu, pelo menos, como se a experiência se aproximasse e tivesse chegado aquele dia que dará a sentença acerca dos meus anos todos de vida, assim me fiscalizo e falo comigo:

5 "Não significa nada o que eu até aqui demonstrei com atos e palavras. São penhores levianos e falaciosos do espírito, e envoltos em muitos artifícios. Se houve algum progresso, é à morte que hei de creditá-lo. Desse modo, preparo-me sem medo para aquele dia no qual, removidos adornos e disfarces, hei de julgar a mim mesmo: se só falo da coragem ou se a tenho mesmo, se foram simulação e encenação[51] todas as palavras contumazes que lancei contra a fortuna".

---

51 No original em latim "*mimus*", um tipo de encenação teatral muito popular na Roma antiga.

6 "Descarta a opinião das pessoas: é sempre duvidosa e se divide em dois lados. Descarta os estudos elaborados numa vida inteira: a morte há de se pronunciar a teu respeito. O que estou dizendo é que debates filosóficos e colóquios literários e palavras coletadas dos preceitos dos sábios e a conversa erudita não revelam a verdadeira firmeza espiritual. De fato, até os muito covardes fazem um discurso ousado. O que tiveres realizado só ficará aparente quando exalares a *anima*. Aceito esta condição, não me amedronto com o julgamento".

7 Falo essas coisas comigo mesmo, mas considera que falei também contigo. És mais jovem – que importa? Não se ficam contando os anos. É incerto em que lugar te aguarda a morte. Desse modo, aguarda tu por ela em todo lugar.

8 Eu queria já terminar e minha mão estava de olho na linha final, mas é preciso preparar o dinheiro e dar a esta carta o seu viático. Suponha que eu não diga de onde virá o empréstimo: sabes de que caixa eu vou sacar. Espera só um pouco por mim e o numerário será doméstico. Nesse meio-tempo, vai nos prestar o serviço Epicuro, que diz: "Medita sobre a morte"[52]. Ou, se o sentido pode assim ficar mais claro para nós: "É muito importante aprender com a morte".

9 Talvez julgues supérfluo aprender algo que só precisa ser usado uma vez. É justamente por isso que devemos meditar: sempre é preciso aprender aquilo que não temos como testar se sabemos.

10 "Medita sobre a morte". Quem diz isso está nos mandando meditar sobre a liberdade. Quem aprendeu a

---

52 Citação do filósofo grego Epicuro, Fragmento 205 Usener.

morrer desaprendeu a servir: está acima de toda autoridade, pelo menos, fora do alcance dela. Que lhe importa o cárcere e a prisão e o confinamento? Tem uma porta aberta. Só uma corrente nos mantém atados: o amor à vida, que não é preciso abandonar, mas reduzir, para que, se a situação em algum momento exigir, nada nos detenha ou impeça de estarmos preparados a fazer imediatamente o que mais cedo ou mais tarde deve ser feito.

Epístola 30

"Assim, se devemos temer a morte, devemos temê-la sempre. De fato, que momento está isento da morte?" (*ita si timenda mors est, semper timenda est: quod enim morti tempus exemptum est?*): o convívio com alguém pronto a morrer não assusta Sêneca. Pelo contrário, as conversas com um idoso de espírito vigoroso o ajudam a refletir sobre a morte, o que ele recomenda como preparação para ela.

1 Vi Aufídio[53] Basso, um homem excelente, alquebrado, lutando contra a idade, mas ela já pesa demais sobre ele para que possa se levantar. A velhice abateu-o com todo o peso do universo. Sabes que ele sempre teve um corpo delicado e enxuto: conservou-o assim por muito tempo e, verdade seja dita, com alguns reparos, mas abandonou-o subitamente.

2 Do mesmo modo que um navio que faz água resiste a uma ou outra fenda, mas quando começa a soltar e a ceder em muitos pontos não há como ir em socorro da embarcação que se desfaz, também um corpo desgastado pode aguentar e sustentar a debilidade até certa medida. Quando, tal como um edifício em ruínas, toda

53 *Aufidius Bassus*, historiador contemporâneo de Sêneca, autor de *Bellum Germanicum* e *Historiae*.

argamassa se desprega e, enquanto se repara uma, outra se desprende, é preciso buscar a porta de saída.

3 Nosso prezado Basso, contudo, tem o espírito bem-disposto. A filosofia assegura isso: estar alegre em vista da morte e corajoso e feliz independente da condição física, e sem fraquejar embora esteja enfraquecido. Um grande capitão navega mesmo com a vela rasgada e, se ficou desguarnecido, ainda assim, põe o que sobrou da embarcação no rumo certo. É isso o que faz o nosso prezado Basso, e aguarda o próprio fim com tal espírito e semblante que julgarias aguardar o fim de outra pessoa com excessiva calma.

4 É uma coisa importante esta, Lucílio, e que precisa de tempo para se aprender: partir de bom grado quando chegar a hora inevitável. Outros tipos de morte trazem um misto de esperança: uma doença termina; um incêndio é extinto; um desabamento poupou os que ele parecia a ponto de esmagar; com a mesma força que os sorvia, o mar lançou ilesos os que ele havia tragado; o soldado recolheu sua espada já a ponto de degolar um homem. Mas não tem o que esperar quem a velhice conduz à morte, a esta única coisa ele não pode se opor. Nenhum outro tipo de morte é mais suave para o ser humano, nem mais demorado.

5 O nosso prezado Basso me parecia acompanhar o próprio funeral e participar do seu sepultamento e ainda viver como quem supera a si mesmo e, sabiamente, encarar a própria ausência. Pois fala muito acerca da morte, e faz isso com dedicação para nos persuadir que, se o assunto traz algum incômodo ou temor, é por erro de quem está morrendo, não da morte: o momento dela mesma não é mais penoso que o depois.

6 Ora, é tão insano quem teme o que não está para sofrer quanto quem teme o que não está para sentir. Ou alguém crê ser possível que ela, que põe fim às sensações, nos faça sentir? Ele afirma: "Logo, a morte está a tal ponto além de todo mal que está além de todo medo dos males".

7 Estas coisas, bem sei, foram tantas vezes ditas e serão tantas vezes ditas, mas nem quando eu as lia me foram igualmente úteis, nem quando as ouvia de pessoas que diziam que não eram temíveis coisas das quais não tinham medo: mas ele impôs a mim sua autoridade, uma vez que falava do avizinhar-se da própria morte.

8 Direi, de fato, o que sinto: considero mais corajoso quem já se encontra na ocasião da morte do que quem está nas cercanias dela. De fato, a presença da morte dá ânimo até aos inexperientes para não evitar o inevitável. É assim que o gladiador, amedrontadíssimo durante todo o combate, exibe a garganta ao adversário e posiciona em si mesmo a espada hesitante. Mas a morte, que, embora próxima, ainda está para chegar, demanda um longo fortalecimento do espírito, que é mais raro e apenas o sábio pode exibir.

9 Desse modo, eu o ouvia com muito boa vontade, como se ele estivesse proferindo uma sentença a respeito da morte e qual era a natureza dela, como quem estivesse informando porque a examinou de mais perto. Suponho que tu confiarias mais, darias mais peso, se alguém tivesse ressuscitado e relatasse, por experiência própria, que não há nada de mal na morte. Quanto traz de perturbação o assédio da morte, vão te contar muito bem os que ficaram perto dela, os que a viram chegando e a receberam.

10 Podes incluir entre eles Basso, que não quis que fôssemos enganados. Diz ele que é tão tolo quem teme a morte como quem teme a velhice, pois, do mesmo modo que a velhice vem depois da adolescência[54], a morte vem depois da velhice. Quem não quer morrer não quis viver. De fato, a vida nos foi dada com a condição da morte. É um caminho para a morte e, por isso, é insano temê-la, porque o que é certeza apenas se aguarda, teme-se o que é duvidoso.

11 A morte é necessariamente equitativa e invencível: Quem pode se queixar de estar na mesma condição de todos? Ora, o pressuposto da equidade é a igualdade. Mas agora é supérfluo defender a causa da natureza, que quis que a nossa lei não fosse outra que a sua própria: tudo o que criou, desfaz, e tudo o que desfez, volta a criar.

12 Além do mais, se coube a alguém que a velhice se despedisse dele gentilmente, não sendo expulso da vida de repente, mas subtraído dela pouco a pouco – ah, como ele não deve agradecer a todos os deuses porque, satisfeito, foi levado ao descanso inevitável ao ser humano, gratificante ao extenuado! Vês certos homens que desejam a morte e mais até do que se costuma implorar

---

54 Certamente, neste ponto, Sêneca está englobando na adolescência a juventude. Na Roma antiga, segundo Isidoro de Sevilha (VII d.C.), considerava-se a infância até os 7 anos, a puerícia até os 14 anos, a adolescência até os 28 anos, a juventude até os 50 anos. Cf. ep. 12.4 e 24.20.

pela vida. Não sei avaliar qual dos dois me dá mais ânimo, se os que demandam a morte ou os que a aguardam alegres e serenos, uma vez que os primeiros fazem algo que às vezes decorre da raiva e da indignação repentina enquanto a tranquilidade dos últimos decorre de um firme juízo. Há quem, irado, chegue à morte; quando a morte está chegando, ninguém a aceita alegre, exceto quem há muito vinha se dispondo para ela.

13 Logo, confesso que eu ia com mais frequência a esse homem, por muitas razões tão caro a mim, para saber se eu o encontraria sempre o mesmo ou se diminuiria, com a força do corpo, seu vigor espiritual, mas este crescia nele como costuma ser mais notada a alegria dos aurigas quando se aproximam da vitória após a sétima volta.

14 Com efeito, ele dizia, seguindo os preceitos de Epicuro, primeiro, que esperava não haver dor alguma naquele último suspiro, contudo, se houvesse, encontraria consolo bastante na sua brevidade. Dizia que não há, de fato, dor prolongada que seja intensa. Ademais, dizia que, mesmo na exata separação da *anima* e do corpo, se isso acontecesse com sofrimento, viria em seu socorro que, após essa dor, ele não poderia mais ter dor. Ora, dizia não duvidar que a *anima* de um velho estivesse pronta a sair pela boca e que sem muita força fosse extraída do corpo. "O fogo que tomou conta de material inflamável precisa de água para ser extinto e, às vezes, só sob ruínas; aquele que se abandona sem alimentos apaga-se por conta própria."

15 De boa vontade ouço essas coisas, meu caro Lucílio, não como novidades, mas como que levado a uma situação real. Mas então? Já não testemunhei muitos interrompendo a vida? Eu mesmo os vi, mas tenho em mais alta conta os que chegam à morte sem ódio da vida e a aceitam, não a atraem.

16 Com efeito, ele dizia que sofremos esse tormento por culpa nossa, porque ficamos abalados tão logo acreditamos que a morte está próxima de nós. De fato, de quem ela não está próxima, à espreita em todo lugar, a cada momento? "Mas devemos considerar, tão logo pareça ocorrer algum risco de morte, o quanto estão mais próximos outros que não são temidos", ele disse.

17 Um inimigo ameaçava alguém com a morte, uma congestão se adiantou. Se quisermos distinguir as causas do nosso medo, descobriremos que umas são, outras parecem ser. Não tememos a morte, mas o pensamento sobre a morte. De fato, estamos sempre à mesma distância dela. Assim, se devemos temer a morte, devemos temê-la sempre. De fato, que momento está isento da morte?

18 Mas devo temer mesmo é que odeies cartas tão longas mais do que a própria morte. Desse modo, vou finalizar. Tu, contudo, pensa sempre na morte para que não a temas nunca.

Epístola 36

Sêneca louva a vida modesta e de reflexão. Defendendo a utilidade de aprender a desdenhar a morte, o autor introduz o argumento da contínua renovação da natureza: "Voltaremos à luz um dia, o qual muitos repudiariam se ele não os trouxesse já esquecidos do que se passou" (*veniet iterum qui nos in lucem reponat dies, quem multi recurent nisi oblitos reduceret*). Leia a carta 54.

1 Exorta o teu amigo a que, com a força do seu espírito, ignore estes que o censuram porque optou pela privacidade e o ócio[55], porque abriu mão do seu prestígio e, mesmo podendo ter conquistado mais, preferiu a tranquilidade a todo o resto. Diante dessas pessoas, ele deve ostentar diariamente como gerenciou bem sua vida. Esses homens que as pessoas invejam não abandonarão sua trajetória: alguns serão derrubados, outros cairão sozinhos. A prosperidade não é uma coisa tranquila, é exasperadora, não mexe com a nossa cabeça de um único jeito, provoca em cada um algo diferente: o desmando em uns, a lascívia em outros. Aqueles, ela insufla. Estes, ela amolece e afrouxa por completo.

2 "Mas há quem lide bem com ela." Sim, e também com o vinho. E não é desse modo que vão te persuadir

55 Em latim "*otium*" era um período em que o cidadão romano podia dedicar-se à literatura e à filosofia.

de que é próspero quem se cerca de muitas pessoas: acorrem a ele como a uma cisterna, cujas águas exaurem e turvam. "Chamam-no medíocre e apático." Sabes que alguns falam, maldosamente, uma coisa querendo dizer outra. Diziam que ele era próspero. E então? Ele era?

3 De fato, nem me preocupo que ele pareça a alguns um espírito duro e sinistro demais. Aríston[56] dizia que ele mesmo preferia um jovem austero a um animado e afável com a multidão. De fato, torna-se um bom vinho aquele que, ainda jovem, parecia duro e rascante; não resiste ao tempo aquele que, no tonel, já agradava. Deixa que o tratem como austero e inimigo dos seus progressos. Na velhice, essa mesma austeridade trará benefícios, desde que ele continue cultivando a virtude, embebendo-se nas artes liberais – não nas que é suficiente banhar-se, mas naquelas que demandam a imersão do espírito. Este é o momento de aprender.

4 "Como é? Há um momento que não seja o de aprender?" De forma alguma, porém, do mesmo modo que é honroso estudar em qualquer idade, não o é estar ainda em formação em qualquer idade. É vergonhoso e ridículo um velho no ensino elementar: o jovem deve se preparar, o velho deve fazer uso do que aprendeu. Logo, será algo muito útil a ti mesmo se fizeres de teu amigo um homem excelente. Dizem que esses são os benefícios que devemos pedir e conceder: sem

---

56 Referência ao Fragmento 388 Von Arnim do filósofo estoico Aríston de Quios (III a.C.), discípulo de Zenão de Cício, fundador do Estoicismo. Cf. ep. 82.9. Hans von Arnim (1859-1931), filólogo, reuniu fragmentos dos primeiros estoicos na obra *Stoicorum Veterum Fragmenta* (SVF) em três volumes, no início do século XX.

dúvida, são de primeira grandeza os que são úteis para quem dá e para quem recebe.

5 Por fim, ele já não tem liberdade, assumiu um compromisso. Ora, é menos vergonhoso ficar devendo a um credor do que a um bom futuro. Para pagar sua dívida, o comerciante necessita de uma viagem marítima rentável e quem cultiva o campo precisa da fertilidade da terra arável e o favor dos céus. Teu amigo, para pagar o que deve, depende apenas da própria vontade. A fortuna não tem injunção sobre o caráter.

6 Que ele disponha do seu para que, com total tranquilidade, seu espírito alcance o estágio de perfeição, ou seja, quando não se sente privado de coisa alguma nem atravancado, antes mantém seu feitio diante de qualquer situação: se acumula os bens mais populares, fica acima deles; se algum desses bens ou todos eles o acaso toma, não se sente inferior.

7 Se tivesse nascido na Pártia[57], estiraria o arco logo criança; se na Germânia[58], arremessaria o dardo delgado desde menino; se fosse do tempo de nossos avós, teria aprendido a cavalgar e a perfurar de perto o inimigo. São estas coisas que a disciplina de sua própria gente determina e comanda a cada indivíduo.

8 Então, sobre o que ele deve refletir? Sobre o que funciona contra todas as armas, contra todo tipo de inimigo: o desdém pela morte. Não há dúvida que ela tem algo de terrível a ponto de incomodar nosso espírito, programado pela natureza a amar a si mesmo. De fato,

---

57 *Parthia*, país dos partos, e, por extensão, a Pérsia.

58 *Germania*, região da Europa limitada pelos rios Reno e Danúbio.

nem seria necessário treiná-lo e afiá-lo contra o que enfrentaríamos por um impulso da vontade, já que todos têm o instinto de preservação.

9 Ninguém precisa aprender a se deitar de bom grado num campo florido se for necessário, mas é duramente preparado para que sua lealdade não se renda a tormentos, de modo que, se necessário, ainda que eventualmente ferido, mantenha-se em pé fazendo a vigília da trincheira e não se apoie nem mesmo em sua lança, porque o sono costuma surpreender nessa hora quem se reclina num apoio qualquer. Não há incômodo algum na morte, pois, isso a que ela causasse incômodo, precisaria ser[59].

10 Mas se tão grande desejo por uma existência mais longa te domina, pensa que não se acaba nada dessas coisas que sob as nossas vistas desaparecem e se ocultam na natureza, de onde surgiram e para onde logo seguirão: as coisas cessam, mas não perecem, e a morte, que tanto tememos e repudiamos, interrompe a vida, não a toma para si. Voltaremos à luz um dia, que muitos repudiariam se ele não os trouxesse já esquecidos do que se passou.

11 Depois, explicarei em mais detalhes como todas as coisas que dão a ideia de perecer são transformadas. Deve partir de bom grado quem está pronto a regressar. Observa o ciclo das coisas que retornam a si mesmas: verás que nada neste mundo se extingue, mas alternadamente declina e ressurge. O verão passou, mas o próximo ano somará mais um. O inverno acabou: os

59 Para Sêneca, a morte é não ser, ou seja, a morte não incomoda algo que já não é. Cf. ep. 54.

meses certos trarão mais um. A noite encobriu o dia, mas o dia, de imediato, empurrará a noite. As estrelas repetem o percurso que fizeram: continuamente uma parte do céu se eleva, uma parte submerge.

12 Por último, se eu acrescentar apenas uma consideração, concluirei a carta: nem bebês, nem meninos, nem deficientes mentais temem a morte, e é uma tremenda vergonha se a razão não nos garante a mesma segurança à qual a estupidez conduz.

Epístola 49

"A natureza nos fez aprendizes e deu-nos a razão, imperfeita, mas que pode ser aperfeiçoada" (*dociles natura nos edidit, et rationem dedit inperfectam, sed quae perfici posset*): o autor alerta que é preciso aproveitar o tempo na aprendizagem do que é útil, não no debate de silogismos, porque a morte está sempre no encalço. A partir do parágrafo 10, Sêneca é o aprendiz que pede orientação. Leia a carta 70.

1 Meu caro Lucílio, certamente é indolente e negligente quem só se lembra de um amigo porque visitou alguma região, porém, às vezes, lugares familiares evocam a saudade latente em nosso espírito. E não é que devolvam alguma lembrança já apagada, mas despertam uma adormecida, como o escravo da família de um morto ou suas vestes ou sua casa renova nas pessoas de luto a dor, mesmo que mitigada pelo tempo. É incrível como a Campânia e, sobretudo, a vista de Nápoles e da tua Pompeia trouxeram à tona a saudade de ti. É como se estivesses à minha frente: é o exato momento em que me separo de ti, vejo-te embebido em lágrimas e mal conseguindo conter as tuas emoções, que transbordam.

2 Parece que foi agora mesmo que te perdi. De fato, não se trata sempre de um "agora" quando se está a recordar? Agora mesmo me sentei, menino, com o filósofo Sótion[60]. Agora mesmo comecei a defender casos. Agora mesmo deixei de querer defendê-los. Agora mesmo deixei de ser capaz disso. O tempo tem velocidade ilimitada, que fica mais evidente a quem olha para trás, pois ela escapa aos que se concentram no presente, a tal ponto é sutil a passagem do tempo em sua fuga vertiginosa.

3 Perguntas a causa disso? Todo tempo que passou encontra-se no mesmo lugar, é visto simultaneamente, repousa junto: tudo despenca no mesmo abismo. E, de resto, não pode haver grandes intervalos em algo que no seu todo é breve. Nossa vida é um instante, e até menos que um instante. Mas mesmo desse mínimo a natureza fez deboche com uma falsa aparência de mais longa duração: de uma parte disso fez a infância; de outra, a puerícia; de outra, a adolescência; de outra, o declínio da adolescência para a velhice; de outra, a própria velhice[61]. Como acomodou tantos degraus em tão pouco!

4 Agora mesmo te cumprimentei, contudo, também esse "agora" é uma grande porção da nossa existência, cuja brevidade – devemos pensar – um dia se esgotará. Antes, o tempo não me parecia tão fugaz. Agora, mostra ter um ritmo incrível, seja porque sinto se aproximar a linha de chegada, seja porque comecei a observar e a calcular minhas perdas.

---

60 Sótion de Alexandria, um neopitagórico, foi um dos professores de Sêneca.

61 Cf. nota 21.

5 Desse modo, fico mais indignado com os que gastam no que é supérfluo a maior parte desse tempo, que não é suficiente nem mesmo para o que é necessário, ainda que muito bem controlado. Diz Cícero que, caso dobrassem sua existência, ainda não teria tempo para ler os líricos. <Coloco>[62] na mesma posição os dialéticos, tolos de maneira mais desoladora: aqueles são confessadamente jocosos, estes consideram que estão realizando algo por conta própria.

6 E não é que eu diga que tais coisas não mereçam ser vistas, mas apenas vistas e saudadas desde um limiar, só para que suas palavras não nos iludam e julguemos que nelas há algum grande bem oculto. Por que se torturar e se atormentar com uma questão que é mais conveniente desdenhar que solucionar? Escarafunchar miudezas é para quem está livre de riscos e se movimenta à vontade: quando o inimigo vem no encalço e o soldado recebe ordem para avançar, a necessidade o faz largar tudo que a paz do ócio havia permitido reunir.

7 Não tenho tempo para perseguir palavras de significado ambíguo e ficar exercitando com elas a minha perspicácia.

> *Observa quais povos reúnem-se, quais muralhas de portões cerrados afiam a espada*[63].

É com espírito firme que devo ouvir esse estrépito da guerra que ressoa à minha volta.

8 A todos, com razão, eu pareceria demente se, enquanto velhos e mulheres recolhessem pedras para a

---

62 Inserção do editor do texto latino.

63 Citação da *Eneida* VIII.385-386, épico latino do poeta Virgílio (I a.C.).

defesa dos muros, enquanto a juventude armada dentro dos portões esperasse ou cobrasse o sinal para atacar, enquanto dardos inimigos vibrassem nos portões e o próprio solo tremesse com escavações e perfurações, me sentasse ocioso, pondo questiúnculas deste tipo: "O que tu não perdeste, tens. Ora, não perdeste chifres, logo, tens chifres". E outras, concebidas a exemplo desse delírio agudo.

9 Bem, é igualmente legítimo que eu te pareça demente se me dedicar a essas coisas. E agora me encontro sitiado. Contudo, fosse, então, iminente uma ameaça externa contra mim, sob sítio, um muro me separaria do inimigo. Agora está comigo o que causa a morte. Não tenho tempo para essas tolices, tenho um grande problema em mãos. O que posso fazer? A morte me persegue, a vida me escapa.

10 Ensina-me a enfrentar isto. Faz que eu não fuja da morte, que a vida não fuja de mim. Exorta-me a enfrentar as dificuldades, a enfrentar o inevitável. Diminui minhas angústias quanto ao tempo: ensina-me que o bem da vida não está na sua duração, mas no seu proveito; que pode acontecer – e acontece frequentemente – de ter vivido pouco alguém que teve vida longa. Quando eu estiver prestes a dormir, diz-me: "Pode ser que não acordes". Diz-me, já acordado: "Pode ser que não durmas mais". Diz-me quando eu estiver saindo: "Pode ser que não regresses". Diz-me quando eu estiver voltando: "Pode ser que não saias de novo".

11 Erras se pensas que apenas na viagem marítima a distância entre a vida e a morte é mínima: em todo lugar é igualmente tênue esse intervalo. Não é que em toda parte a morte se revela assim tão próxima, é que ela está assim tão próxima em toda parte. Dissipa estas trevas, e com mais facilidade transmitirás a mim as coisas para as quais me preparei. A natureza nos fez aprendizes e deu-nos a razão, imperfeita, mas que pode ser aperfeiçoada.

12 Debate comigo sobre a justiça, a piedade, a frugalidade, ambas as formas de pudor, tanto aquela que é a abstinência do corpo do outro como a que é o cuidado com o próprio corpo. Se evitares conduzir-me por desvios, chegarei mais facilmente aonde quero, pois, como afirma o conhecido tragediógrafo, "é simples a linguagem da verdade"[64], e, por isso mesmo, não cabe complicá-la. De fato, nada convém menos a espíritos que se embatem em grandes conquistas do que a esperteza enganosa.

---

64 Citação em latim do verso 469 da tragédia "Fenícias", do grego Eurípides (V a.C.).

Epístola 54

"Nós também somos chamas que se acendem e se apagam: nesse meio-tempo, sofremos um tanto; nos extremos, a tranquilidade é profunda" (*nos quoque et extinguimur et accendimur: medio illo tempore aliquid patimur, utrimque vero alta securitas est*): para Sêneca, a morte é tudo que não é vida, o antes e o depois. Simplesmente, não ser. Leia a carta 36.

1 Minha precária condição de saúde tinha me concedido uma trégua prolongada, mas de repente me atacou. "Que tipo de condição?" – dizes. Faz sentido que perguntes isso: até aqui nenhum tipo me é desconhecido. No entanto, é como se eu tivesse sido predestinado a uma só doença, e eu não entendo por que deveria usar seu nome em grego, pois se pode dizer de maneira satisfatória "*suspirium*"[65]. Ora, o ataque é muito breve e semelhante a uma tempestade, dentro de uma hora quase cessa. Quem pode, afinal, ficar expirando por muito tempo?

2 Todos os males do corpo, que causam incômodos ou que trazem riscos, eu já sofri: nenhum me parece mais molesto. Por que não? Com efeito, adoecer é

---

65 Palavra latina que significa "respiração profunda, suspiro". Nesta carta, significa especificamente "asma", palavra de origem grega.

uma outra coisa; isto é exalar a *anima*. E, dessa forma, os médicos a chamam de "preparação para a morte". Eventualmente, essa respiração conseguirá, de fato, o que tantas vezes tentou.

3 Pensas que estou animado em te escrever estas coisas porque escapei? Se me alegro com esse desfecho como se estivesse bem de saúde, faço um papel tão ridículo como qualquer um que pensa ter conseguido uma vitória porque adiou uma audiência. Eu, por certo, mesmo durante o sufocamento, não deixei de encontrar conforto em pensamentos felizes e valorosos.

4 "Que é isso?" – eu digo – "Por que tantas vezes a morte faz experimentos comigo? Que faça: tive uma longa experiência com ela". Tu dizes: "Quando?" Antes que eu nascesse. A morte é não ser. Já sei como é: haverá depois de mim o que houve antes de mim. Se há nessa nossa condição, algum tormento, é inevitável que tenha havido também antes que viéssemos à luz, mas naquela ocasião não sentimos nenhum desconforto.

5 Peço-te que me digas se não é muito estúpido que alguém estime que uma lamparina valha menos depois de apagada do que antes de ser acesa? Nós também somos chamas que se acendem e se apagam: nesse meio-tempo, sofremos um tanto; nos extremos, a tranquilidade é profunda. Meu caro Lucílio, se não estou enganado, é nesse ponto, de fato, que erramos, porque julgamos que a morte é o que vem a seguir, embora ela seja tanto o que veio antes como o que virá a seguir. Tudo o que houve antes de nós é a morte. De fato, que importa que não sejas nem o começo nem o fim, uma vez que o resultado de um e de outro é o não ser?

6 Por meio destas e de outras exortações da mesma lavra (silenciosas, diga-se, pois não era momento para palavras), continuei dirigindo-me a mim mesmo. Em seguida, pouco a pouco, aquela asma, que já passava a ser uma respiração difícil, ganhou intervalos maiores e se conteve. Embora tenha cedido, minha respiração se mantém ainda sem fluir naturalmente; sinto certa hesitação e morosidade. Seja como for, desde que eu não seja um asmático do espírito.

7 Entende isto da minha parte: não tremerei na hora derradeira, já estou preparado, nada planejo para um dia inteiro. Louva e imita o homem que não reluta em morrer, embora aprecie viver. É preciso ter coragem para partir quando se vai ser expulso? Aqui também é preciso coragem: estou efetivamente sendo expulso, mas é como se eu estivesse saindo. E justamente por isso um sábio nunca é expulso, porque ser expulso é ser enxotado de um lugar contrariado: o sábio nada faz contrariado, ele escapa ao inevitável porque deseja o que está para lhe ser imposto.

Epístola 57

Uma experiência de viagem desagradável leva Sêneca a refletir sobre o medo da morte e as situações tolas que o motivam: "A tal ponto o temor fica à espreita não dos efeitos, mas das causas" (*adeo non effectus, sed efficientia timor spectat*). Nesta carta, ele admite a possibilidade da imortalidade do espírito. Leia a carta 78.

1 Quando eu devia voltar de Báias[66] para Nápoles, prontamente acreditei que haveria uma tempestade para que não tivesse que experimentar, uma vez mais, um navio. Mas foi tanta lama por todo o caminho que me parecia estar, nada menos, que navegando. Naquele dia, tive de suportar com firmeza tudo pelo que passam os campeões: no túnel napolitano[67], fomos tomados por uma camada de pó, após um banho de lama[68].

2 Não há nada mais comprido do que aquele calabouço, nada mais escuro do que aquelas tochas que se apresentam a nós não para que enxerguemos em meio às trevas, mas para que vejamos as próprias trevas. De resto,

66 Em latim, "*Baiae*", cidade da Campânia, célebre por suas águas termais e belas residências dos romanos ricos nos fins da República e no Império.

67 Túnel entre Nápoles e Putéolos, construído no império de Augusto.

68 Os lutadores da Antiguidade costumavam recobrir-se com lama e areia. Cf. Fantham, p. 289.

mesmo se o lugar tivesse luz, a poeira, que também num espaço aberto é penosa e molesta, tomaria conta. Quanto mais ali, onde forma um redemoinho e, confinada pela falta de ventilação, se volta contra os que a levantaram? Enfrentamos simultaneamente dois incômodos opostos: no mesmo caminho, no mesmo dia, sofremos com a lama e com a poeira.

3 Contudo, aquela escuridão me deu o que pensar. Senti um impacto espiritual e, sem medo, uma alteração, que a novidade e o simultâneo horror da circunstância insólita haviam produzido. Não falo contigo agora sobre mim, que estou muito longe de ser uma pessoa tolerante, muito menos perfeita, mas daquele sobre o qual a fortuna já não tem domínio. O espírito dele também será atingido, sua coloração também vai se alterar.

4 De fato, meu caro Lucílio, de certas coisas nem a virtude pode escapar: a natureza adverte-a sobre sua condição mortal. Desse modo, tal homem vai revelar no rosto suas tristezas e vai se abalar com o inesperado e ficará zonzo se olhar para baixo à beira de um abismo muito profundo. Isso não é temor, mas uma reação natural que desafia a razão.

5 Desse modo, certos homens corajosos e totalmente dispostos a verter o próprio sangue não conseguem ver o de outro. Certos homens desabam e desmaiam à visão e ao contato com um ferimento recente, outros, com uma ferida antiga e purulenta. Outros ainda estão mais prontos a receber um golpe de espada do que a testemunhar um.

6 Logo, como eu dizia, o que senti não foi tanto uma perturbação, mas uma alteração: assim que vi a luz de volta, voltou-me o entusiasmo intuitiva e espontaneamente. Em seguida, comecei a falar comigo mesmo como era tolo que temêssemos umas coisas mais, outras menos, embora o desfecho de todas fosse igual. Há diferença, de fato, entre ruir sobre alguém uma torre de vigilância ou uma montanha? Não há. No entanto, há de haver pessoas que temam mais esta última ruína, ainda que ambas sejam igualmente fatais, a tal ponto o temor fica à espreita não dos efeitos, mas das causas[69].

7 Ora, pensas que estou falando dos estoicos, que consideram que a *anima* de um homem esmagado por um peso enorme não tem como resistir e se dispersa imediatamente porque não teve a saída liberada? Não, eu não estou fazendo isso. Em minha opinião, erram os que dizem isso.

8 Do mesmo modo que uma chama não pode ser prensada, pois escapa ao redor daquilo que a pressiona, do mesmo modo que o ar não sofre danos nem mesmo cortes por pancada ou golpe, mas reocupa o espaço ao redor do que o atingiu, assim também o espírito, que consiste de algo muito tênue, não fica preso nem inerte dentro do corpo, mas, beneficiado pela própria sutileza, irrompe através daquilo que o comprime. Tal como um raio tem como retornar através de uma estreita passagem mesmo quando caiu e irradiou sobre uma grande área, assim também o espírito, que é mais tênue que o fogo, tem como escapar através de cada corpo.

---

69 Sêneca usa a palavra "*efficientia*", ou seja, causas eficientes. Cf. ep. 65.

9 Desse modo, deve-se perguntar se ele pode ser imortal. Tenha certeza quanto a isto: se ele sobrevive ao corpo, nada pode aniquilá-lo, [por causa disso não perece][70], uma vez que a imortalidade não comporta exceções e não há o que possa ser nocivo ao que é eterno.

70 Consta *propter quod non perit* em manuscrito, mas é proposta exclusão do trecho. Cf. Reynolds, p. 153.

Epístola 58

Sêneca diz que o latim é uma língua pobre para o debate filosófico, mesmo assim desenvolve uma especulação em torno das "ideias" de Platão. De que servem essas minúcias para a filosofia moral, pergunta Lucílio, o destinatário das cartas. Sêneca responde: "Fracos e instáveis, vivemos entre coisas vãs: devemos dirigir nosso espírito às coisas que são eternas" (*inbecilli fluvidique inter vana constitimus: ad illa mittamus animum quae aeterna sunt*). A providência divina cuida do mundo e o ser humano deve cuidar de si recorrendo à providência individual. As cartas 58 e 65 têm sido analisadas em conjunto como possível fonte sobre o médio Platonismo.

1 Como nós somos pobres de palavras, melhor até, indigentes, eu nunca tinha entendido tão bem até o dia de hoje. Quando falávamos casualmente de Platão, ocorreram mil coisas que precisavam e não tinham nomes – na verdade, algumas que os tiveram e perderam por causa do nosso nível de exigência. Ora, quem pode aturar a exigência na indigência?

2 Isso que os gregos chamam "οἶστρος", que persegue os rebanhos e os dispersa pelos pastos, os romanos chamavam "*asilus*". Basta que creias em Virgílio:

> *Há, junto à mata do <rio>*[71] *Sílaro e junto ao <monte> Alburno, verdejante pelas azinheiras, um inseto que fica voando em grande número, ao qual se dá o nome romano de "asilus", que no falar dos gregos foi vertido "oestrus". Desagradável, faz um zumbido agudo, em razão do qual, assustada, toda a manada se espalha pelos bosques*[72].

3 Julgo que essa palavra <"*asilus*"> é considerada agora ultrapassada. Nem é preciso ir muito longe. Eram usados certos termos simples, como "*cernere ferro inter se*". É o mesmo Virgílio que te comprovará isso:

> *ingentis, genitos diversis partibus orbi,*
> *inter se coiisse viros et cernere ferro*[73].

Agora falamos "*decernere*": não se usa mais a forma simples desse verbo.

4 Os antigos diziam "*si iusso*", equivalente a "*iussero*". Não peço que creias em mim, mas no mesmo Virgílio:

> *cetera, qua iusso, mecum manus inferat arma*[74].

---

71 Nesta carta, as inserções entre <> foram feitas pela tradutora para maior clareza.

72 Citação das *Geórgicas* III.146-50, do poeta Virgílio (I a.C.). A forma grega "*οἶστρος*", transliterada em latim "*oestrus*", e a latina "*asilus*" referem-se, em português, ao moscardo ou mutuca. Em latim, há também "*tabanus*", que resulta "tavão" em português. Na *Apologia a Sócrates* 30e5, o termo grego usado por Platão é "*μύωψ*".

73 A citação da *Eneida* XII.708-709, épico latino de Virgílio, exemplifica a ocorrência do verbo "*cernere*", por isso, foi mantida em latim. A tradução: "ingentes varões, oriundos de diversas partes do globo, confrontaram-se e decidiram (*cernere*) na espada".

74 A citação da *Eneida* XI.467 exemplifica a ocorrência do verbo "*iubeo*" no futuro perfeito em oração condicional "*si iusso*", por isso, foi mantida em latim. A tradução: "Que o resto da tropa, se eu tiver ordenado (*iusso*), pegue comigo em armas".

5 Não faço isso agora, com esse cuidado, para ostentar quanto tempo perdi nos ensinamentos dos gramáticos, mas para que com isso entendas o quanto as palavras de Ênio e Ácio[75] caíram em desuso, embora também algumas dele, <Virgílio>, com quem estamos às voltas todos os dias, já nos escapem.

6 "A que vem essa preparação toda? Qual o objetivo?" – dizes. Não vou esconder de ti: desejo usar o termo "*essentia*"[76] sem ferir teus ouvidos, se possível. Senão, mesmo irritados, vou usá-lo. Tomo Cícero[77] como autoridade no uso dessa palavra e o reputo confiável. Se é alguém mais recente que buscas, temos Fabiano[78], eloquente e elegante, de discurso requintado até para o nosso nível de exigência. O que vai ser, caro Lucílio? Como é que se dirá "*οὐσία*"[79], uma necessidade que contém por natureza o fundamento de tudo? Desse modo, peço que me permitas usar essa palavra <"essência">. Farei todo o esforço para exercer com muita parcimônia esse direito concedido. Talvez eu me contente com a permissão.

---

75 *Quintus Ennius* (239-169 a.C.) e *Lucius Accius* (170-86 a.C.), poetas e dramaturgos latinos arcaicos, já pouco lidos à época de Sêneca, são comparados a Virgílio, autor das *Geórgicas* e da *Eneida* citadas.

76 O termo latino pode ser traduzido por "essência".

77 *Marcus Tullius Cicero* (107-43 a.C.), político e advogado romano, autor de obras de caráter filosófico em latim, embora nelas não se encontre a palavra citada por Sêneca, de acordo com pesquisadores.

78 *Papirius Fabianus*, filósofo e mestre de Sêneca. Em *Sobre a brevidade da vida* X.1 , diz Sêneca que Fabiano "não é desses filósofos catedráticos, mas dos verdadeiros e antigos" (*non ex his cathedrariis philosophis, sed ex ueris et antiquis*).

79 O termo grego significa "a essência do ser". O trecho imediatamente seguinte, que explica a acepção da palavra, consta assim em latim: *res necessaria, natura continens fundamentum omnium.* É possível que Sêneca se refira aqui ao conceito de "necessário" (*ἀναγκαῖον*). Cf. Aristóteles, *Metafísica* Δ 5.

7 De que vai me adiantar a tua complacência se não consigo, de forma alguma, exprimir em latim isso que me fez protestar contra a nossa língua? Vais repudiar mais as limitações dos romanos quando souberes que há uma só sílaba que não consigo traduzir. Tu perguntas qual? "*τὸ ὄν*"[80]. Agora te pareço uma pessoa de pouco talento! Está claro que posso vertê-la como "*quod est*"[81], mas vejo uma grande diferença: sou obrigado a pôr um verbo no lugar de um substantivo. Contudo, se é inevitável, vou usar "*quod est*".

8 Um amigo nosso, homem muito erudito, dizia hoje que Platão tinha seis modos de falar disso. Farei uma exposição deles todos, mas antes tenho que te informar que existem "o gênero" e "a espécie". Buscamos agora aquele gênero primeiro, do qual dependem as espécies, a partir do qual nasce cada divisão, no qual está compreendido o universal. Ora, vamos encontrá-lo se começarmos a selecionar cada coisa do fim para o começo. De fato, assim seremos levados até o <gênero> primeiro.

9 O ser humano é uma espécie, como diz Aristóteles, o cavalo é uma espécie, o cão é uma espécie. Logo, deve-se buscar algum vínculo comum a todas essas coisas, que as englobe e que esteja acima delas. E o que é? O animal. Logo, passa a haver um gênero de todas essas coisas às quais acabo de me referir – ser humano, cavalo, cão: o <gênero> animal.

---

80 O termo grego significa "o ser". No latim não há artigos, portanto, Sêneca teria que traduzir apenas uma sílaba, o particípio substantivado *ὄν*.

81 O termo latino significa "o que é". Encontram-se as traduções "aquilo que é" ou "aquele que é".

10 Mas certas coisas têm *anima*[82] e não são animais (latim: *animalia*). De fato, é consenso que também nas plantas há *anima*, desse modo, dizemos que elas tanto vivem como morrem. Logo, os seres animados (latim: *animantia*)[83] estarão uma posição acima, porque tanto os animais como os vegetais estão nessa categoria. Mas certas coisas carecem de *anima*, como as pedras, de modo que haverá algo que antecede os seres animados, diga-se, o corpo. Este será dividido de modo que eu identifique todos os corpos como ou animados (*animantia*) ou inanimados (latim: *inanima*).

11 E há ainda algo mais acima que o corpo. De fato, dizemos que certas coisas são corpóreas (latim: *corporalia*) e certas, incorpóreas (latim: *incorporalia*). Logo, do que será que estas últimas derivam? Daquilo a que acabamos de atribuir o nome pouco apropriado de "*quod est*". De fato, ele será subdividido em espécies de modo que afirmemos que "o que é" é ou corpóreo ou incorpóreo.

12 Logo, é este o gênero primeiro e o mais remoto e, por assim dizer, geral. Com efeito, há outros gêneros, mas são específicos[84]. Tomando o ser humano como um gênero, de fato, ele inclui as espécies de povos: gregos, romanos, persas; de cores: brancos, negros, amarelos. Inclui os indivíduos: Catão, Cícero, Lucrécio. Assim, se algo contém muitas coisas, enquadra-se no gênero; se fica abaixo de outro, na espécie. Aquele gênero "o

---

82 O texto latino estabelecido por Reynolds traz "*animum*", mas adotamos "*animam*". Cf. Inwood, p. 117.

83 Na literatura filosófica atual são chamados "seres viventes".

84 O texto latino traz "*genera... specialia*".

que é", geral, não tem nada acima de si, é o início das coisas, tudo está abaixo dele.

13 Estoicos querem sobrepor a este ainda outro gênero, mais primário, do qual já vou falar, mas antes devo instruir que aquele gênero do qual tratei posiciona-se, apropriadamente, primeiro, visto que abarca todas as coisas.

14 Divido "o que é" nestas espécies: "corpóreas" ou "incorpóreas", não há um terceiro termo. E como divido o corpo? Posso dizer que são ou "animados" ou "inanimados". E os animados, por sua vez, como eu divido? Posso dizer que uns têm *animus*[85], outros têm apenas *anima*. Ou assim: uns têm impulso (latim: *impetus*), andam, se movimentam; outros, fixados no solo, alimentam-se pelas raízes e crescem. E em quais espécies subdivido, por sua vez, os animais? São "mortais" ou "imortais"[86].

15 Para certos estoicos, o gênero primeiro é visto como "*quid*"[87] e vou explicar por que é visto assim. Afirmam: "Na natureza, algumas coisas são, outras não são. Ora, a natureza engloba também essas que não são, mas que vêm à mente, tal como centauros, gigantes e qualquer outra coisa que ganha forma a partir de um pensamento enganoso, passando a ter uma imagem, ainda que não tenha substância".

16 Agora volto àquilo que te prometi: como Platão reparte em seis modalidades todas as coisas que são.

---

85 Aqui, busca-se a distinção entre *animus* como princípio da força interior, e *anima* como força vital.

86 Sêneca não nomeia os imortais. No Platonismo, divindades estão entre os imortais. Cf. também o parágrafo 18.

87 Traduz-se por "algo". O "*quid*" abarcaria o "*quod est*", mas Sêneca discorda. Cf. Inwood, p. 122-123.

Aquele primeiro "o que é" não se apreende nem pela visão, nem pelo tato, nem por qualquer sentido; é pensável. Algo que é genérico, como o ser humano em geral, não é apreendido pelo olhar, mas sim o que é específico, como Cícero e Catão. Não se vê, mas se pensa o <gênero> animal. Ora, vê-se a espécie, como o cavalo e o cão.

17 Em segundo, dentre essas coisas que são, Platão posiciona o que se destaca e suplanta tudo: isto que, diz ele, é por excelência. Usa-se "poeta" como um termo de sentido comum. De fato, a todos que compõem versos dá-se esse nome, mas já entre os gregos tornou-se referência a um somente: quando se ouve "poeta", entende-se "Homero". Logo, do que se trata esse "isto"? De deus certamente, maior e mais poderoso que todo o resto.

18 O terceiro gênero é o das coisas que propriamente são. São incontáveis, mas estão além da nossa capacidade de observação. Indagas que coisas são essas? O próprio ferramental de Platão: "ideias" é como ele chama isso de que vem a ser toda e qualquer coisa que vemos e que a tudo dá forma. São imortais, imutáveis, invioláveis.

19 Ouve só o que é uma "ideia", isto é, como Platão a vê: "Uma ideia é o modelo eterno das coisas que vêm a ser na natureza". A essa definição vou acrescentar uma interpretação para que o tema fique mais claro a ti. Quero fazer teu retrato. Considero que o modelo para o quadro és tu, de quem minha mente capta certo feitio que deve ser impresso na obra. Assim, aquela figura que me ensina e me norteia, a qual se procura imitar, é uma ideia. Logo, a natureza tem um número infinito de tais modelos, de homens, de peixes, de árvores, de acordo com os quais se manifesta tudo o que por ela deve ser feito.

20 A forma[88] assumirá o quarto lugar. É preciso que atentes para o que seja essa forma e que atribuas a Platão, não a mim, a dificuldade nesses assuntos. Ora, não existe minúcia sem dificuldade. Há pouco eu usava a imagem do pintor. Querendo pintar Virgílio, ele olhava para o próprio. A figura de Virgílio era a "ideia", o modelo para a futura obra. Dessa figura, o que o artífice extrai e acaba por imprimir em sua obra é a "forma".

21 Perguntas qual a diferença? Uma é o modelo, a outra é a forma tomada ao modelo e impressa na obra. Uma, o artífice imita; a outra, ele faz. A estátua tem uma figura – esta é a "forma". O próprio modelo, que o artesão, ao contemplar, configurou numa estátua, tem uma figura – esta é a "ideia". Se desejas ainda outra diferenciação: a "forma" está na obra, a "ideia" está fora da obra; não apenas fora da obra, mas é anterior à obra.

22 O quinto gênero é o das coisas que "são", no sentido comum do termo[89], e essas já dizem respeito a nós. Aqui estão todas as coisas: seres humanos, rebanhos, bens. O sexto gênero é o das coisas que *quasi* são[90], tal como o vazio, tal como o tempo.

---

88 A palavra "forma" é a versão para o latim "*idos*" e o grego "*εἶδος*", mas também para o latim "*forma*".

89 Cf. o parágrafo 17. Em ambos, o termo latino para "sentido comum" é o advérbio "*communiter*".

90 O termo latino "*quasi*" pode ser traduzido por "como se". Para os estoicos, o vazio e o tempo, assim como o espaço e o exprimível, são incorpóreos.

Todas as coisas que vemos ou tocamos, Platão não as conta entre aquelas que ele julga que propriamente "são"[91]. De fato, elas estão num fluxo e num constante processo de perdas e ganhos. Nenhum de nós é na velhice o mesmo que foi quando jovem. Nenhum de nós é pela manhã o mesmo que foi na véspera. Nossos corpos são levados pelo fluxo dos rios: tudo o que vês passa com o correr do tempo, nada do que vemos permanece. Eu mesmo, enquanto falo da mudança das coisas, já mudei.

23 É isto que Heráclito[92] diz: "No mesmo rio, entramos e não entramos duas vezes". De fato, o nome do rio permanece o mesmo, mas a água passou. Isso fica mais claro com relação ao rio do que com relação ao ser humano, mas uma correnteza não menos veloz também nos arrasta. E é por isso que me espanta a nossa insanidade de amarmos tanto essa coisa muitíssimo fugaz que é o corpo e termos medo de morrer algum dia, ainda que cada novo momento seja a morte do estado anterior. Não se deve temer que aconteça um dia o que está acontecendo diariamente!

24 Falei sobre o ser humano, essa matéria instável e efêmera sujeita a todos os eventos. O mundo, coisa eterna e insuperável, também muda e não permanece o mesmo. De fato, embora contenha em si tudo o que já conteve, o que contém hoje conteve antes de outra maneira – a ordenação das coisas muda.

25 "Como essa minúcia toda me ajuda?" – dizes. Se perguntas a mim, em nada. Mas tal como um famoso cin-

---

91 Cf. tb. o parágrafo 18. Em ambos, o termo latino para "propriamente" é o advérbio "*proprie*".

92 Heráclito de Éfeso, filósofo pré-socrático.

zelador afasta os olhos fatigados pela longa observação, e os distrai e, como se diz, lhes dá um descanso, assim também nós devemos em algum momento relaxar o espírito e alimentá-lo com distrações. Mas mesmo as distrações devem ser uma tarefa. Nelas também vais reconhecer, se observares bem, o que te pode ser salutar.

26 Isso é o que eu, Lucílio, costumo fazer: de cada noção, mesmo que muitíssimo afastada da filosofia, tento extrair algo e fazê-lo útil. O que está mais distante do aperfeiçoamento do caráter do que esses temas dos quais acabamos de tratar? Como as "ideias" de Platão podem me fazer uma pessoa melhor? O que vou tirar delas que refreie meus desejos? Isto ao menos: todas essas coisas que satisfazem os sentidos, que nos inflamam e incitam, Platão descarta que entre elas exista coisas que verdadeiramente são.

27 Logo, são coisas da imaginação (latim: *imaginaria*) e que assumem um aspecto a cada momento, nada têm de estável e sólido. E, no entanto, as desejamos como se fossem existir para sempre ou como se fôssemos possuí-las para sempre. Fracos e instáveis, vivemos entre coisas vãs: devemos dirigir nosso espírito às coisas que são eternas. Admiremos as formas de todas as coisas, que pairam nas alturas, e um deus que reside entre essas coisas e providencia, de algum modo, que o que não pôde fazer imortal, porque a matéria impedia, ele proteja da morte e supere o corpo falho com o atributo da razão.

28 De fato, todas as coisas duram não porque são eternas, mas porque recebem a proteção cuidadosa de quem as governa: fossem imortais, não careceriam de um tutor. O artífice as preserva, superando a fragilidade da matéria com a sua força. Devemos desdenhar as coisas a tal ponto desprovidas de valor que há dúvidas se elas efetivamente existem.

29 Ao mesmo tempo, pensemos sobre isto: se o próprio mundo, não menos mortal do que nós, a providência exime dos perigos, até certo ponto também pode ser prolongada a duração deste corpo débil pela providência de cada um de nós, se formos capazes de governar e dominar nossos prazeres, devido aos quais a maior parte perece.

30 O próprio Platão alcançou a velhice tomando cuidado consigo. Com efeito, ele era dotado de um corpo saudável e forte, e foi por causa do largo tórax que recebeu seu nome[93]. Mas as viagens marítimas e seus perigos o tinham desfalcado muito das suas forças. Contudo, parcimônia e moderação nas coisas que provocam avidez e o diligente cuidado de si conduziram-no à velhice apesar das muitas circunstâncias impeditivas.

31 Pois suponho que saibas que Platão, pelo cuidado consigo, contou com o benefício de ter morrido no aniversário em que completou 81 anos sem tirar nem pôr. Por isso, magos que estavam casualmente em Atenas fizeram oferendas ao morto, convencidos de que houvera ali uma sorte sobre-humana porque tinha se consumado o mais perfeito dos números, que é a multiplicação de nove por nove. Não duvido que estejas pronto a dispensar uns poucos dias desse total assim como as oferendas!

---

93 O termo grego "πλάτος" significa "largura".

32 A frugalidade pode prolongar a velhice, que, em minha opinião, não deve ser cobiçada, tampouco deve ser repudiada: é um prazer estar consigo o máximo possível desde que haja dignidade nesse convívio. Desse modo, darei minha opinião se convém tratar com desprezo a extrema velhice e não aguardar pelo fim, mas causar o próprio fim: está tão perto de ser um medroso quem fica parado à espera do destino como é um dependente do vinho aquele que esgota a ânfora e ainda sorve a borra[94].

33 Mas vamos investigar o assunto: a parte final da vida é uma de duas coisas, ou é a borra ou é algo levíssimo e puríssimo, isso se a mente estiver ilesa, se os sentidos intactos colaborarem com o espírito e o corpo não estiver decrépito e já meio-morto. De fato, importa muito se alguém prolonga a vida ou a morte.

34 Porém, se o corpo está inútil para atividades, por que não convirá expurgar o espírito sofredor? E talvez se deva fazê-lo um pouco antes do que o necessário para que não sejas incapaz de fazê-lo quando houver necessidade. E visto que é um perigo maior viver mal do que morrer logo, é tolo quem, ao custo de uma oferta modesta do seu tempo, não zera o risco de uma grande eventualidade. Poucos a velhice muito longa levou à morte sem incapacitá-los. A muitos coube uma vida inerte, de invalidez. Então, julgas que seja mais cruel perder um pouco da vida do que o direito de pôr fim a ela?

35 Não me escutes contrariado, como se esta minha opinião já se referisse a ti, e avalia o que vou dizer: não

94 Quanto a esta comparação, leia a ep. 1.5.

abrirei mão da velhice se ela me preservar integralmente, íntegro, contudo, naquela que é a melhor parte de mim. Mas se ela começar a abalar minha mente, se afetar partes dela, se não me deixar a vida, mas a *anima*, abandonarei o edifício pútrido e em ruínas.

36 Não será com a morte que escaparei de uma doença, desde que tratável e não prejudicial ao espírito. Não usarei contra mim as minhas mãos por causa da dor: morrer assim é ser derrotado. Contudo, se eu souber que terei que suportá-la para sempre, partirei, não por causa dela mesma, mas porque será para mim um obstáculo a tudo pelo que se vive. É fraco e covarde quem morre por causa da dor, é tolo quem vive em função da dor.

37 Mas me demoro a partir. Além do mais, o assunto pode tomar o dia todo. E como será capaz de pôr fim à vida quem não é capaz de pôr fim a uma carta? Então, passar bem! – lerás isso com mais prazer do que minhas meras palavras sobre a morte.

Epístola 61

"Antes da velhice, cuidei de viver bem. Na velhice, de que eu morra bem. Ora, morrer bem é morrer de bom grado" (*ante senectutem curavi ut bene viverem, in senectute ut bene moriar; bene autem mori est libenter mori*): adequar-se às circunstâncias voluntariamente é atitude de quem alcançou a harmonia do espírito e está preparado para a morte. Para Sêneca, aceitação é libertação.

1 Deixemos de desejar o que no passado desejamos! Eu, certamente, estou fazendo isso para que não deseje, já idoso, o mesmo que desejei menino. Só nisso se vão meus dias. Só nisso, minhas noites. Esta é minha tarefa, esta reflexão: pôr fim a antigos vícios. Faço isso para que meu dia tenha o valor de toda uma vida. E – por Hércules! – não o tomo como o último, mas o encaro como podendo muito bem ser o último.

2 É com este espírito que te escrevo esta carta, admitindo que a morte possa me chamar exatamente enquanto a escrevo. Estou preparado para partir e posso desfrutar a vida justamente pelo fato que não fico dependendo demais do quanto possa durar esse futuro. Antes da velhice, cuidei de viver bem. Na velhice, de que eu morra bem. Ora, morrer bem é morrer de bom grado.

3 Presta atenção para que nunca faças algo contrariado. Tudo que for inevitável a quem costuma recursar-se não é inevitável a quem aceita. É isso que eu digo, quem recebe ordens de bom grado, escapa da parte mais amarga da escravidão: fazer o que não quer. Não é desafortunado quem faz algo obrigado, mas quem o faz contrariado. Desse modo, devemos pôr em harmonia nosso espírito para que desejemos o que as circunstâncias exigirem de nós e, acima de tudo, para que reflitamos, sem tristeza, sobre o nosso fim.

4 Devemos nos preparar mais para a morte do que para a vida. É suficiente o que a vida nos oferece, mas ficamos ávidos por suas dádivas: parece que nos falta algo e vai parecer sempre. Não são nem anos nem dias que garantem termos vivido o suficiente, mas nosso espírito. Vivi o suficiente, caríssimo Lucílio. Satisfeito, espero pela morte.

Epístola 63

"Para mim, pensar nos amigos falecidos é doce e suave: de fato, os tive como se prestes a perdê-los; depois que os perdi, é como se os tivesse" (*mihi amicorum defunctorum cogitatio dulcis ac blanda est; habui enim illos tamquam amissurus, amisi tamquam habeam*): a imprevisibilidade da morte leva Sêneca a alertar sobre a importância de aproveitar a amizade em vida.

1 Recebo com tristeza a morte do teu amigo Flaco, contudo, não quero que a recebas tu com uma dor desmedida. Que não te condoas, nem ousarei exigir – e sei que seria o melhor! Mas quem poderá contar com tal força espiritual a menos que já se encontre fora do alcance da fortuna? Também esse homem sente uma agulhada numa tal situação, mas apenas uma agulhada. Ora, podemos ser perdoados por termos chegado às lágrimas se elas não correram em excesso, se fomos nós mesmos que as reprimimos. Que os olhos não fiquem nem secos nem encharcados com a perda de um amigo: deve-se chorá-lo, mas não desfazer-se em lágrimas.

2 Ainda te parece que imponho uma lei dura sendo que o maior dos poetas gregos limitou o direito de prantear a um só dia e afirmou que mesmo Níobe tinha pensado em se alimentar?[95] Indagas de onde vêm as lamenta-

---

95 Duas referências à *Ilíada*, de Homero: XIX.229 e XXIV.602. Níobe teve os seis filhos e as seis filhas mortos por Apolo e Ártemis.

ções? De onde vem o pranto incontido? Buscamos dar provas da nossa saudade por meio de lágrimas, e não nos submetemos à dor, mas a ostentamos. Ninguém fica triste para si mesmo. Desoladora tolice! Existe também a ambição da dor.

3 "E então? Vou me esquecer do meu amigo?" – é o que tu dizes. A tua promessa de lembrar-te dele durará pouco se depender da tua dor: logo um acontecimento fortuito qualquer vai levar um riso a esse rosto. Não projeto isso para um futuro distante, quando toda saudade se ameniza, quando mesmo o luto mais amargo se acomoda: assim que deixares de vigiar-te, essa imagem da tristeza desaparecerá. Agora tu mesmo és o guardião da tua dor, mas ela também escapa ao seu guardião, e quanto mais amarga for, mais rápido passa.

4 Devemos tornar agradável a recordação das pessoas que perdemos. Ninguém volta espontaneamente seu pensamento para o que lhe causa tormento. Como isso é inevitável, que o nome das pessoas amadas que perdemos então nos venha à mente com algum pesar, mas que também esse pesar tenha uma dose de prazer.

5 Pois, como costumava dizer o nosso Átalo[96]: "É agradável a lembrança dos amigos falecidos assim como são suavemente ásperos certos frutos, como o amargor próprio do vinho envelhecido além da conta nos deleita. Certamente, depois de um tempo, tudo o que nos aflige se extingue e alcançamos o puro prazer".

---

96 O filósofo estoico *Attalus* foi mestre de Sêneca.

6 E ainda, se lhe damos crédito: "Pensar nos amigos saudáveis é desfrutar de mel e doce. É saboroso, mas um tanto acre, rememorar os que se foram. Ora, quem vai negar que também essas coisas acres, tendo algo de áspero, aguçam o apetite?"

7 Já eu não sinto o mesmo. Para mim, pensar nos amigos falecidos é doce e suave: de fato, os tive como se prestes a perdê-los; depois que os perdi, é como se os tivesse. Logo, prezado Lucílio, aplica teu senso de justiça, deixa de interpretar erroneamente a benesse da fortuna: ela tirou, mas também deu.

8 Desfrutemos avidamente dos amigos justamente porque é incerto por quanto tempo poderemos contar com isso. Pensemos sobre quantas vezes teremos que deixá-los ao partirmos numa longa viagem, quantas vezes, estando num mesmo lugar, não os veremos: entenderemos que nós perdemos muito tempo quando estavam vivos.

9 Mas pode-se tolerar quem trata os amigos com extrema negligência, cumpre o luto com extrema dor e não ama ninguém exceto se o perdeu? Então, os pranteia com mais ênfase justamente porque teme haver dúvidas se os amou; busca dar indícios tardios do próprio afeto.

10 Se temos outros amigos que mal valem de consolo para a perda de um só, nossa estima por eles é pouca e os temos em baixa conta. Se não temos outros amigos, fizemos contra nós mesmos uma agressão maior do que a que recebemos da fortuna: ela nos tirou um só, nós não fizemos nenhum.

11 Segue que não amou de verdade nem mesmo uma pessoa quem não conseguiu amar mais que uma. Se alguém, espoliado, depois que perdeu sua única túnica, prefere se lamentar a procurar um modo de escapar do frio e encontrar algo que lhe cubra os ombros, ele não te parecerá muito estúpido? Sepultaste quem amavas, busca alguém para amar. Vale mais substituir o amigo que chorar por ele.

12 Sei que já foi bem repisado o que vou acrescentar, contudo, nem por isso omitirei o que foi dito por todos: "Não há dor que o tempo não cure"[97]. Ora, é muito vergonhoso que a cura para o sofrimento de um homem prudente seja estar cansado de sofrer. Prefiro que tu abandones a dor a que ela te abandone. Então, cessa de fazer o quanto antes isso – sofrer – que, mesmo que queiras, não serás capaz de fazer por muito tempo.

13 Um ano de luto foi concedido às mulheres pelos nossos antepassados: não para que lastimassem a perda por tanto tempo, mas para que não fosse mais longa. Para os homens, não há um período oficial porque nenhum seria honroso. Dentre essas mulheres que a custo são arrancadas à pira funerária, a custo desgrudadas do cadáver, podes citar-me qual derramou lágrimas durante um mês inteiro? Nada se torna odioso tão rapidamente quanto uma dor: sendo recente, encontra quem a console e outros se juntam a ela; sendo persistente, é verdadeiramente risível, e com razão, pois ou é simulada ou é estúpida.

---

97 Em latim, "*finem dolendi etiam qui consilio non fecerat tempore invenit*". Em português: "Mesmo quem não havia dado intencionalmente um fim à dor, o encontrou com o tempo".

14 Sou eu que te escrevo estas coisas, eu que chorei descontroladamente pelo caríssimo Aneo Sereno[98] a ponto de me encontrar – coisa que eu não queria de jeito nenhum – entre os exemplos dos que foram vencidos pela dor. Contudo, hoje condeno o que fiz e entendo que a causa principal de tê-lo lastimado assim foi que eu jamais havia considerado que ele pudesse morrer antes de mim. Só me ocorria que ele era mais jovem e muito mais jovem que eu. Como se houvesse ordem no destino!

15 Desse modo, devemos pensar assiduamente tanto na nossa condição mortal como na de todos que amamos. Na época, eu deveria ter dito: "Meu querido Sereno é mais jovem. E isso importa? Deve morrer depois de mim, mas pode ser antes". Visto que não o fiz, subitamente a fortuna me pegou desprevenido. Agora penso que todas as coisas são não apenas mortais, mas mortais de acordo com uma lei incerta: pode acontecer hoje o que pode acontecer sempre.

16 Logo, caríssimo Lucílio, devemos pensar que em breve chegaremos aonde lamentamos que ele tenha chegado. E talvez, se é verdade o que nos transmitem os sábios e algum lugar nos aguarda, pensamos que pereceu quem apenas nos precedeu.

---

98 *Annaeus Serenus*, a quem Sêneca dedicou outros textos: *Ad Serenum de Tranquilitate Animi* ("Sobre a tranquilidade da alma") e *Ad Serenum de Otio* ("Sobre o ócio"). Foi prefeito da guarda pretoriana e morreu, supostamente, envenenado por cogumelos em um banquete.

Epístola 65

"Toda arte é imitação da natureza" (*omnis ars naturae imitatio est*): aludindo a Aristóteles, Sêneca apresenta três argumentos no estudo das causas ou etiologia – o estoico, o aristotélico e o platônico – entre os parágrafos 1 e 15. A validade da discussão filosófica é a elevação do espírito. Entre os parágrafos 16 e 24, o autor defende que desligar-se do corpo como de uma amarra é um aprendizado para a morte, que é ou fim ou transição. Leia em conjunto a carta 58.

1 O dia de ontem dividi com a minha saúde precária: ela reivindicou a manhã para si; à tarde, sujeitou-se a mim. Desse modo, primeiro coloquei meu espírito à prova com a leitura, em seguida, como ele a recebera bem, ousei impor-lhe algo mais. Ou melhor, permitir-lhe. Escrevi um pouco – e com mais dedicação de fato do que costumo, já que estou me debatendo com um assunto difícil e não quero me dar por vencido – até que intervieram amigos decididos a me conter pela força como um doente indisciplinado.

2 A conversa tomou o lugar do estilo[99], e dela vou te comunicar o trecho que está em disputa. Nós te aponta-

---

99 O estilo, *stillus* em latim, era o instrumento usado para escrever nas tabuinhas enceradas, como se fosse uma caneta. A conversa, *sermo* em latim, tem aqui o caráter de discussão filosófica, semelhante à ep. 58.

mos como árbitro. Tens um desafio maior do que imaginas: há três partes envolvidas nessa causa.

Como sabes, dizem nossos colegas estoicos que há na natureza duas coisas das quais tudo vem a ser: a causa e a matéria. A matéria repousa inerte, coisa apta a tudo, tendendo à estagnação se ninguém a colocar em movimento. Ora, a causa, isto é, a razão, dá forma à matéria e a transforma da maneira que quiser, dela produz obras variadas. Logo, é necessário que haja "de onde" algo vem a ser, em seguida, "por meio de que" vem a ser: esta é a "causa", aquela é a "matéria".

3 Toda arte é imitação da natureza[100]. Desse modo, o que eu dizia a respeito do universo, aplica tu às coisas que ao ser humano cabe fazer: uma estátua contou com a matéria que estava à disposição do artífice e com o artífice que configurava a matéria. Logo, numa estátua, a matéria foi o bronze; a causa, o artesão. A condição é a mesma para todas as coisas: elas se constituem disso "que é feito" e disso "que faz".

4 Os estoicos se contentam com haver uma causa única, a "que faz". Aristóteles julga que há três modos de falar da causa. Ele diz: "A primeira causa é a própria matéria, sem a qual não se pode efetuar nada; a segunda, o artesão; a terceira é a forma, a qual se imprime a cada uma das obras, por exemplo, a uma estátua". Por isso, Aristóteles chama a esta última "*idos*"[101]. E diz: "Uma

---

100 Originalmente, a frase é de Aristóteles, na sua *Physica II 2, 194a21*: "*ἡ τέχνη μιμειται τὴν φύσιν*".

101 O latim *idos* transliterado do grego εἶδος é sinônimo do substantivo latino *forma*. O português "forma" é usado na tradução de ambos. Também na ep. 58.

quarta também se soma a estas: o propósito da obra na sua totalidade".

5 Vou esclarecer isto. O bronze é a primeira causa da estátua. De fato, ela jamais teria sido feita se não tivesse havido isso de que seria fundida ou moldada. A segunda causa é o artífice. De fato, não teria sido possível forjar o bronze no feitio da estátua se não tivessem se dedicado a isso as mãos de um perito. A terceira causa é a forma. De fato, tal estátua não seria chamada "Doríforo"[102] ou "Diadúmeno"[103] se não tivesse sido impressa nela a figura correspondente. A quarta causa é o propósito do fazer, pois se não tivesse havido isso, ela não teria sido feita.

6 O que é o propósito? O que motivou o artífice, o que ele perseguia quando fez a obra: ou era o dinheiro, se o produziu com a intenção de vender, ou era a glória, se se esforçou em ter renome, ou era a religiosidade, se preparou a doação para um templo. Logo, esta também é uma causa, em razão da qual se faz algo: Ou não julgas que deva ser enumerado entre as causas de uma obra um fator sem o qual ela não teria sido feita?

7 A estas, Platão acrescenta uma quinta, o modelo (latim: *exemplar*), que o próprio chama de ideia (grego: *ἰδέα*). De fato, fixando-se nisso o artífice efetuou o que pretendia. Ora, é irrelevante se ele tinha um mo-

102 O termo de origem grega "doríforo" significa "lanceiro", aludindo à estátua atribuída ao escultor grego Policleto (V a.C.), tomado como ideal de beleza masculina.

103 O termo de origem grega "diadúmeno" significa "portador do diadema" e também se refere a uma estátua de Policleto, escultor cujas obras foram reproduzidas na Roma antiga.

delo externo para o qual olhar ou um interno, que ele mesmo concebeu e interiorizou. Deus tem dentro de si esses modelos de todas as coisas e com sua mente abarcou as proporções e as medidas do que está planejado no universo. Ele é repleto dessas figuras que Platão chama ideias: imortais, imutáveis, infatigáveis. Desse modo, embora os homens realmente pereçam, a ideia mesma de humanidade, que molda o ser humano, permanece e, enquanto os homens padecem e sucumbem, ela nada sofre.

8 Logo, são cinco as causas, como afirma Platão: do que, pelo que, no que, de acordo com o que, em razão do que[104]. Por último, aquilo que é a partir delas todas. No exemplo da estátua, já que foi dela que comecei a falar, o bronze é o "do que", o artífice é o "pelo que", a forma que se aplica à matéria é o "no que", o modelo imitado por quem faz é o "de acordo com o que", o propósito de quem faz é a causa "em razão do que". Aquilo que é a partir dessas todas é a própria estátua.

9 O mundo também tem tudo isto, como diz Platão: quem faz, este é deus; do que é feito, esta é a matéria; a forma, esta é o feitio e ordem do mundo que vemos; o modelo, leia-se, aquilo de acordo com o que deus fez a magnificência de sua mais bela obra; o propósito, em razão do qual a fez.

10 Perguntas qual é o propósito de deus? A bondade. Por certo, é o que diz Platão: "Qual a causa de deus para

---

104 As causas também têm a seguinte nomenclatura, respectivamente: causa material, causa eficiente, causa formal, causa exemplar, causa final. Cf. PELLEGRIN, P. *Vocabulário de Aristóteles*. WMF/ Martins Fontes, 2010, p. 16-17.

fazer o mundo? Ele é bom, o bom não inveja qualquer bem, desse modo, fez o melhor que pôde"[105].

Logo, como juiz, pronuncia a sentença sobre quem te parece dizer o que é mais verossímil, não sobre quem diz o que é mais verdadeiro – isso, de fato, está tão acima de nós quanto a própria verdade.

11 Este amontoado de causas apresentado por Aristóteles e Platão engloba ou coisas demais ou coisas de menos, pois se julgam que é uma causa do fazer todo fator sem o qual algo não pode ser efetuado, falaram de menos. Que incluam o tempo entre as causas: nada pode vir a ser sem o tempo. Que incluam o lugar: se não houver um lugar onde algo venha a ser, com certeza não virá a ser. Que incluam o movimento: sem ele nada nem vem a ser, nem perece; não há arte sem movimento, não há mudança.

12 Mas nós agora investigamos a causa primeira e geral. Ela precisa ser simples, pois a matéria também é simples. Investigamos o que seja uma causa? Evidente que é a razão que faz as coisas (latim: *ratio faciens*), isto é, deus. De fato, todas estas coisas referidas não são muitas causas separadas, mas dependem de uma única, a "que faz".

13 Tu dizes que a forma é a causa? O artífice a imprime à obra: ela é parte da causa, não a causa. O modelo também não é a causa, mas um instrumento necessário à causa. O modelo é necessário ao artífice como o cinzel, como a lima: sem estes, a arte não pode se desenvolver, contudo, não são partes ou causas da arte.

---

105 Esse argumento é apresentado por Platão no diálogo *Timeu* 29 D-E.

14 Alguém afirma: "O propósito do artífice, em razão do que se dedica a fazer algo, é uma causa". Ainda que seja uma causa, não é causa eficiente (latim: *efficiens causa*), mas acessória. Ora, desse tipo há incontáveis: nós investigamos acerca da causa geral. Na verdade, eles não usaram da sua costumeira minúcia quando afirmaram que o mundo na sua totalidade, uma obra finalizada, é uma causa: há, de fato, grande diferença entre uma obra e a causa de uma obra.

15 Proclama a sentença ou, o que é mais fácil nesse tipo de situação, diz que a ti o caso não está claro e ordena que o revisemos. Dizes: "Por que é do teu agrado gastar tempo com isso que não te livra de nenhuma paixão, não te aparta de nenhum desejo?" Com efeito, ocupo-me e trato do †mais importante†[106], com o que se apazigua o espírito, e me perscruto primeiro, em seguida, este mundo.

16 E nem mesmo agora, como imaginas, estou perdendo tempo. De fato, tudo isso, se não se dissipa nem se dispersa em minúcias inúteis, eleva e alivia o espírito que, submetido a um pesado fardo, deseja ser desembaraçado dele e retornar àquilo de que já fez parte. Pois este corpo é peso e castigo para o espírito: ele fica acossado por aquele peso, acorrentado, se a filosofia não o alcançou e orientou a que respirasse o espetáculo da natureza, afastando-o das coisas terrenas em direção às divinas. Esta é a sua liberdade, esta é a sua evasão: por vezes, ele se subtrai à prisão em que é mantido e se refaz em contato com o céu.

---

106 Passagem corrompida. Divergência entre editores do texto latino. Sigo a lição de Hense (latim: *potiora*), com Inwood. Reynolds opta por "*peiora*".

17 Do mesmo modo que artífices de algo muito minucioso que desgasta os olhos por causa da concentração, se contam com luz ruim e precária, vão para um lugar público e dão aos olhos um alívio com a luz natural de uma área popular de lazer, assim também o espírito encerrado nesse domicílio triste e soturno, sempre que pode, busca um espaço aberto e se distrai com a contemplação da natureza.

18 Com efeito, o sábio, assim como o partidário da sabedoria, está ligado ao próprio corpo, mas abstrai a melhor parte de si e direciona suas reflexões às coisas sublimes. Como se preso por um juramento, julga que a vida é como um serviço obrigatório[107]. E, como foi formado assim, não tem nem amor nem ódio pela vida, e suporta a condição mortal embora saiba que algo mais elevado subsiste.

19 Tu me interditas a inspeção da natureza e, afastado do todo, limitas-me a uma parte? Eu não devo investigar os princípios do universo? Quem dá forma às coisas? Quem distinguiu todas as coisas imersas no uno e misturadas na matéria inerte? Não devo investigar quem é o artífice deste mundo? Que razão é essa que trouxe para tamanha dimensão lei e ordem? Quem coligiu o que estava disperso, desembaralhou o que estava confuso, divisou uma configuração para o que repousava disforme? De onde emana tanta luz? É fogo ou algo mais luminoso que o fogo?

---

107 "Serviço obrigatório" traduz o termo original latino "*stipendium*", que é associado ao pagamento de soldo aos militares, daí, soldados que assumiam a obrigação de muitos anos de serviço por meio do juramento ou "*sacramentum*" em latim.

20 Eu não devo investigar isso? Eu não devo saber de onde vim? Devo esperar ver essas coisas uma só vez ou nascer e renascer? Para onde vou daqui? Que lugar aguarda a alma já livre das regras da servidão humana? Proíbes que eu compartilhe do céu, isto é, ordenas que viva de cabeça baixa?

21 Sou maior que isso e fui concebido para coisas maiores do que ser o escravo de meu próprio corpo, que, com efeito, encaro simplesmente como uma corrente cerceando minha liberdade. Desse modo, o oponho como barreira à fortuna e não consinto que qualquer golpe o atravesse e chegue até mim. Só isso pode ser uma injúria contra mim: neste domicílio servil reside um espírito livre.

22 Nunca esta carne vai me compelir ao medo, nunca a uma simulação indigna de um bom homem, nunca mentirei em honra deste débil corpo. Quando for oportuno, dissolverei a sociedade com ele. Mesmo agora, enquanto estamos ligados, não seremos sócios em partes iguais: meu espírito reserva a si todos os direitos. O desdém pelo próprio corpo é liberdade garantida.

23 Voltando a meu propósito, acrescenta muito a essa liberdade também aquela inspeção de que há pouco falávamos. Sem dúvida, os universais constituem-se da matéria e de deus. Deus gerencia isso que o envolve e essas coisas o seguem como guia e líder. Ora, tem mais poder e mais valor o "que faz", que é deus, do que a matéria passiva a deus.

24 O lugar que deus ocupa neste mundo, o espírito ocupa no ser humano. O que lá é a matéria, em nós é o corpo. Logo, que as coisas inferiores sirvam às melhores. Sejamos fortes diante do que é fortuito, não nos abalemos com injúrias, nem com golpes, nem com correntes, nem com a indigência. O que é a morte? Ou fim ou transição. E eu não temo acabar (é o mesmo, de fato, que não ter começado), nem fazer a transição, porque lugar algum me será tão limitante.

Epístola 70

“Morrer bem é escapar do risco de viver mal” (*bene autem mori est effugere male vivendi periculum*): o ser humano apenas resvala nas margens da vida durante sua trajetória, mas o homem sábio tem o poder de decidir sobre sua morte, que é um porto à disposição, não um obstáculo à navegação. Só após longa reflexão sobre a morte pode-se optar pelo suicídio: ciente de que a vida não vale a pena ser vivida a qualquer custo, não se fica à mercê da sorte. O corpo é morada temporária, não é prisão da alma. A vontade é o único obstáculo à morte. Leia as cartas 24 e 49.

1 Depois de um longo período, voltei a ver Pompeia, tua cidade. Fui levado de volta à contemplação da minha adolescência: tudo o que eu fizera ali quando jovem parecia que eu ainda seria capaz de fazer e até que o fizera há pouco.

2 Tocamos apenas as margens da vida, Lucílio, e tal como acontece quando se está no mar, nas palavras do nosso Virgílio:

terras e cidades ficam para trás[108].

108 Citação da *Eneida* III.72, épico latino do poeta Virgílio (I a.C.).

Assim, na marcha muito fugaz do tempo, perdemos de vista, primeiro, a puerícia, então, a adolescência, então, tudo que existe no intervalo entre ser jovem e ser velho, o que se confina entre ambos, então, os ótimos anos da própria velhice, por último, começa a se revelar o fim conhecido de todo o gênero humano[109].

3 Esse fim, consideramos um escolho, dementes que somos. Ele é um porto no qual, em algum dia, se deve atracar, que jamais se deve evitar. Se alguém foi levado a ele ainda nos primeiros anos, só cabe queixar-se como quem navegou rápido demais. De fato, como tu sabes, ventos fracos jogam com uma pessoa, a retêm e aborrecem com o tédio de uma calmaria muito prolongada, já uma rajada persistente leva outra pessoa com celeridade.

4 Tem em conta que isso também se dá conosco: uns, a vida conduziu em alta velocidade aonde seria inevitável chegar apesar de adiamentos; outros, ela pôs de molho e cozinhou em fogo brando. Como tu sabes, nem sempre é o caso de preservá-la, pois viver não é um bem, mas viver bem. Desse modo, viverá o sábio o quanto considerar que deve, não o quanto puder.

5 Observará onde deve residir, com quem, de que modo, o que lhe cabe fazer. Ele reflete sempre sobre a qualidade da vida, não sobre a sua duração. Se lhe acontecem muitos fatos molestos, perturbadores da tranquilidade, ele se liberta – e não o faz apenas como última necessidade, mas, assim que a fortuna começa a parecer-lhe suspeita, analisa cuidadosamente se já deve pôr

109 Cf. nota 21.

termo a isso. Não lhe importa se ele mesmo trará o seu fim ou se o aceitará, se acontecerá mais devagar ou mais depressa: não o teme como se fosse um grande prejuízo, pois ninguém pode perder muito se for gota a gota[110].

6 Morrer mais depressa ou mais devagar é assunto irrelevante, já morrer bem ou mal é relevante. Ora, morrer bem é escapar do risco de viver mal. Desse modo, na minha avaliação, não é nada viril a frase daquele homem de Rodes[111] que, embora tivesse sido lançado numa jaula por um tirano e fosse alimentado como um animal feroz qualquer, a quem tentava persuadi-lo de abster-se de comida, ele dizia: "Um homem deve manter as esperanças enquanto viver".

7 Mesmo que isso seja verdade, não se deve aceitar a vida a qualquer preço. Ainda que me estejam reservadas coisas importantes, coisas inescapáveis, não é com a vergonhosa admissão da minha fraqueza que devo alcançá-las: Eu devo pensar que a fortuna tem total poder sobre um ser vivo ao invés de pensar que a fortuna é impotente contra quem sabe morrer?

8 Contudo, mesmo se um dia a morte inescapável o ameaçar e o homem tomar conhecimento de que está destinado ao suplício, não ajudará na sua própria punição: ajudaria a si próprio <estupidamente>[112]. É uma es-

---

110 Cf. ep. 24.20 sobre a vida como morte contínua.

111 Trata-se do ródio Telésforo, exibido por Lisímaco como fera rara após ter-lhe decepado nariz e orelhas. Sêneca o cita também no *Sobre a ira* III.17.3-4.

112 Suplementação da palavra "*stulte*" por Giuseppe Scarpat em sua edição da ep. Cf. SCARPAT, G. *Anticipare la morte o attenderla*. Paideia, 2007, p. 44.

tupidez morrer por medo da morte. Está chegando quem deve te matar, então espera! Por que te antecipas? Por que assumes o encargo da crueldade de outrem? Acaso invejas teu carrasco ou o estás poupando?

9 Sócrates teve como pôr fim à sua vida pela abstinência e morrer de inanição ao invés do veneno, no entanto, passou trinta dias no cárcere na expectativa da morte, não com tal ânimo como se ainda algo pudesse acontecer, como se um período tão longo lhe reservasse muitas esperanças, mas para que cumprisse as leis, para que permitisse aos amigos desfrutar de Sócrates até o fim. O que seria mais estúpido do que desdenhar a morte temendo o veneno?

10 Escribônia, uma mulher séria, era tia de Druso Libo[113], adolescente[114] igualmente tolo e nobre, o qual tinha ambições maiores do que qualquer um poderia ter na sua época e do que ele mesmo, em qualquer época. Depois que fora levado do Senado, doente, em uma liteira em meio a exéquias esvaziadas (de fato, todos os parentes o tinham abandonado, sem piedade, já não como um réu, mas como um cadáver), começou a deliberar se executaria a própria morte ou esperaria por ela. Escribônia disse-lhe: "Por que te agrada executar a tarefa de outro?" Mas não o persuadiu. Ele atentou contra si mesmo, e não sem motivo: como em três ou quatro dias

113 *Marcus Scribonius Drusus Libo* foi acusado de ter planejado uma conspiração sob o império de Tibério (14-37 d.C.). Escribônia, segunda esposa do imperador Augusto, que antecedeu Tibério, tentou convencer o sobrinho a apelar ao Senado, mas ele se antecipou à decisão matando-se em 16 d.C.

114 Em latim, "*adulescens*".

morreria por decisão do inimigo se ainda estivesse vivo, executou a tarefa de outro.

11 Desse modo, não é possível se pronunciar categoricamente sobre se, quando é uma força externa que determina a morte, ela deve ser antecipada ou aguardada. De fato, há muitos fatores que podem arrastar uma pessoa para um lado ou para o outro. Se uma morte é tormentosa e outra é simples e rápida, por que não se apoderar desta última? Do mesmo modo que posso escolher o navio em que planejo viajar e a casa na qual pretendo morar, também a minha morte quando pronto a deixar a vida.

12 Além disso, do mesmo modo que nem sempre é melhor uma vida mais longa, é sempre pior uma morte prolongada. Em nenhuma situação mais do que na morte devemos satisfazer a disposição do nosso espírito. Deve-se partir recorrendo ao que nos motiva: quer se escolha a espada, quer a forca, quer um veneno que toma nossas veias, deve-se seguir em frente e romper os vínculos com a servidão. Todo mundo precisa buscar aprovação também de outras pessoas para sua vida, mas apenas a própria para sua morte: ótima é a morte que lhe agrada.

13 É estúpido que se pense: "Fulano dirá que agi com pouca bravura, beltrano, que agi com muita precipitação, sicrano, que havia um tipo de morte mais convincente". Queres pensar que essa é uma decisão que não é afetada pelo que dizem! Tenha uma coisa em vista, que escapes o mais rápido possível da fortuna. De qualquer forma, haverá quem faça um julgamento negativo do que fizeste.

14 Encontrarás até mesmo uns que se professam sábios que repudiam o uso da violência contra a própria vida e julgam que é um ato nefasto uma pessoa tornar-se seu próprio algoz: deve-se aguardar a hora da partida que a natureza decidiu. Quem diz isso não enxerga que ele mesmo está bloqueando o caminho para a liberdade: o que a lei eterna fez de melhor foi ter nos dado entrada única para a vida, mas muitas saídas.

15 Eu devo aguardar a crueldade ou de uma doença ou de um homem embora possa partir em meio à tormenta e dissipar as adversidades? Essa é a única coisa de que não podemos nos queixar na vida: ela não segura ninguém. A condição humana é bem resolvida porque só é infeliz quem quer. Estás satisfeito? Continua a viver. Não estás satisfeito? Podes voltar para o lugar de onde vieste.

16 Para aliviar uma dor de cabeça, com frequência tiraste sangue: perfura-se uma veia para serenar o corpo. Não é preciso um corte amplo para talhar o abdome: com um canivete, abre-se a via em direção àquela grande liberdade e num instante se instala a serenidade. Logo, o que é que nos faz indolentes e inertes? Nenhum de nós fica pensando que algum dia deverá abandonar esta morada. Assim é que a comodidade do lugar e o costume, mesmo em meio a agruras, retêm antigos inquilinos.

17 Queres ser livre frente a este corpo? Ocupa-o como se estivesses para mudar-te. Tenha sempre presente que algum dia essa coabitação vai te faltar: estarás mais forte na necessidade de abandoná-la. Mas como pode o próprio fim passar pela cabeça das pessoas que ficam cobiçando todas as coisas sem fim?

18 Não há outro assunto que mereça mais reflexão! De fato, talvez exercitar-se em outros temas seja em vão. O espírito foi preparado para enfrentar a pobreza, mas a riqueza perdurou. Armamo-nos para desdenhar a dor, mas a alegria de um corpo intacto e saudável nunca cobrou de nós a experiência dessa virtude. Para que suportássemos com bravura a falta daqueles que perdemos, nos preparamos antes, mas a fortuna preservou todos que amávamos.

19 Chegará o dia em que a prática com esse único assunto será cobrada. Não há razão para considerar que apenas grandes homens tiveram vigor para romper as correntes da servidão humana. Não há razão para julgar que isso só possa ser realizado por Catão, que arrancou com a própria mão a alma que não tinha libertado pela espada[115]. Homens de baixíssima condição puseram-se em segurança com enorme determinação, e quando não lhes era permitido morrer como queriam nem escolher por conta própria os instrumentos para sua morte, pegaram coisas que estavam à vista – e que por natureza não eram perigosas – e, com sua força, delas fizeram armas.

20 Recentemente num espetáculo com animais, um dos germanos, enquanto se preparava para as apresentações matinais, se afastou para aliviar-se – em nenhuma outra situação era-lhe permitido ficar isolado, sem vigilância. Ali, o pedaço de pau com uma esponja grudada para limpar as partes íntimas, ele enfiou todo na garganta e, bloqueada a traqueia, sufocou. Isso foi fazer uma

---

115 *Marcus Porcius Cato Uticensis* (95-46 a.C.) ou *Cato Minor* retirou as próprias vísceras para finalizar o suicídio após ter perfurado o abdome e ainda sobreviver. Sêneca relata o fato na ep. 24.6.

afronta à morte. Simples assim: pouco limpo e pouco decente. O que é mais estúpido do que ser exigente demais ao morrer?

21 Que homem forte! Que homem digno de que lhe fosse dada a escolha do próprio destino. Com que força ele teria usado a espada, com que coragem ele teria se lançado nas profundezas do mar ou de um penhasco escarpado. Desprovido de tudo, de algum modo encontrou para si a morte e a arma adequadas, a fim de que tu saibas que nada além do querer é obstáculo ao morrer. Que se pense o que quiser sobre o ato desse homem determinadíssimo, desde que fique assente que é preferível a morte mais suja à mais limpa servidão.

22 Uma vez que comecei a usar exemplos rebaixados, vou me manter nessa linha, pois qualquer um exigirá mais de si mesmo se constatar que este nosso objeto pode receber o desdém até mesmo dos que sofrem muito desdém. Catões e Cipiões[116] e outros dos quais nos acostumamos a ouvir falar com admiração, julgamos impossível imitá-los, mas eu mostrarei que há tantos exemplos de virtude no espetáculo com animais como no comando das guerras.

23 Um homem destinado à apresentação matinal, quando recentemente estava sendo transportado entre vigias, meneava como se dominado pelo sono, baixando tanto a cabeça até que a inserisse entre os raios de uma roda, e se manteve na posição o suficiente até que quebrasse o pescoço num giro da roda: escapou no mesmo veículo em que era levado ao castigo.

---

116 Cf. ep. 24.10.

24 Nada impede quem deseja se desligar e partir: a natureza nos vigia em campo aberto. Quem não tiver uma necessidade premente, que investigue uma partida suave. Quem tiver às mãos muitos meios de resgatar a si mesmo, que faça uma escolha, levando em conta, de preferência, um meio que possa libertá-lo. Quem dificilmente tiver uma oportunidade, que pegue a primeira como se fosse a melhor, ainda que inédita, uma novidade. Não faltará engenhosidade para alcançar a morte a quem não tiver faltado ânimo.

25 Vês como mesmo os escravos mais inferiores, quando estimulados pela dor, se animam e enganam os vigias mais atentos? O grande homem é quem não apenas determinou a própria morte, mas a encontrou. Desse tipo de espetáculo popular te prometi muitos exemplos.

26 Na segunda apresentação de naumaquia[117], um dos bárbaros afundou na própria garganta a lança inteira que havia recebido para combater os adversários. Ele dizia: "Por quê? Por que não escapo imediatamente de todos os tormentos, de todos os ultrajes? Por que eu, armado, aguardo a morte?" Foi tão mais bela esta apresentação que as demais quanto é mais honroso ao homem aprender a morrer do que a matar.

27 Então? Esse ânimo que os perversos e criminosos têm não terão também aqueles instruídos para tais situações pela longa reflexão e razão, mestra de todas as coisas? Ela nos ensina que há vários acessos para o destino, mas um mesmo fim. Ora, não importa a partida, mas a chegada.

---

117 Espetáculo simulando batalha naval. A primeira naumaquia data de 46 a.C. sob Júlio César. A segunda teria ocorrido sob o império de Nero (54-68 d.C.).

28 Essa mesma razão orienta que, se te for permitido, morras <de um modo que te agrade, mas se não o for,>[118] do modo que puderes, e que usurpes qualquer coisa que sirva no ataque contra ti. Viver do roubo é desonesto, por outro lado, é belíssimo morrer em razão do roubo.

118 Suplementação pelo editor do texto latino.

Epístola 78

“Desse modo, determinei-me a viver. De fato, às vezes, viver também é para os fortes” (*itaque imperavi mihi ut viverem; aliquando enim et vivere fortiter facere est*): tratando da doença e da morte, Sêneca lembra como, por amor ao pai, optou pela vida, mesmo em precária condição de saúde. Leia a carta 57.

1 Dizes que sofres com expectorações intensas e febres fracas que acompanham as tosses prolongadas tornadas crônicas, o que para mim é mais molesto porque já experimentei esse tipo de enfermidade[119], que aos primeiros sintomas desdenhei (até então, minha adolescência era capaz de suportar adversidades e de enfrentar doenças obstinadamente), em seguida, capitulei e fui levado a tal extremo que eu mesmo desintegrava, reduzido à extrema magreza.

2 Tantas vezes tive o impulso de interromper minha vida: a idade avançada do meu afabilíssimo pai me reteve. Pensei, de fato, não em quanta força eu teria para morrer, mas em quanta força ele não teria para suportar minha ausência. Desse modo, determinei-me a viver. De fato, às vezes, viver também é para os fortes.

---

119 Cf. relato de Sêneca sobre sua saúde na ep. 54.1-2.

3 Vou falar o que, então, me serviu de consolo, mas antes devo dizer que essas mesmas coisas, com as quais me acalmava, tiveram a eficácia de um medicamento. Consolações morais funcionam como um remédio, e é útil também ao corpo o que quer que tenha fortalecido o espírito. Nossos estudos foram, para mim, uma salvação. Atribuo à filosofia ter me erguido, ter me recuperado. É a ela que devo a vida e nada menos do que isso devo a ela.

4 Ora, contribuíram muito para a minha boa disposição também os amigos, que me aliviavam com suas exortações, suas noites de vigília, suas conversas. Nada igual ao afeto dos amigos, Lucílio, tu que és o melhor dos homens, para restaurar e ajudar um doente, nada igual para extirpar a expectativa e o medo da morte: eu não julgava que fosse morrer visto que os deixaria vivos. O que estou dizendo é que eu supunha que ainda viveria, não com eles, mas por meio deles: não tinha a impressão que fosse exalar meu último suspiro, mas que a eles o entregaria. Essas coisas me deram vontade de ajudar a mim mesmo e de suportar cada tormento. De resto, é muito lamentável, depois que se abriu mão do ânimo de morrer, não ter ânimo de viver.

5 Logo, recorre também tu a estes remédios. O médico te orientará o quanto deves caminhar, o quanto deves te exercitar; que não cedas à inércia, à qual se rende a indisposição; que leias mais alto e exercites a respiração, cujas vias aéreas e pulmões se esforçam; que velejes e ponhas em movimento teus órgãos com o doce balanço; quais alimentos consumir e, quanto ao vinho, quando deves recorrer a ele para ter forças, quando deves te abster dele para que não provoque e agrave a tosse. Já eu, o que te receito é um remédio não apenas para esta doença, mas para uma vida inteira: desdenha a morte. Nada é triste quando escapamos ao medo dela.

6 Estas três coisas pesam em toda doença: o medo da morte, a dor do corpo, a interrupção dos prazeres. Já se falou o bastante da morte. Só quero dizer uma coisa: este medo não é característico da doença, mas da nossa natureza. Muitos tiveram a morte adiada por uma doença e ela os salvou porque parecia que iam perecer. Morrerás não porque adoeces, mas porque vives. Essa condição te acompanha mesmo curado. Uma vez que te recuperaste, escapaste não à morte, mas a uma enfermidade.

7 Voltemo-nos agora para aquilo que é o incômodo propriamente: a doença traz grandes torturas, mas se tornam toleráveis pelos intervalos entre elas, pois uma dor extremamente intensa tem seu fim. Ninguém pode ter muita dor por muito tempo. A natureza, que muito nos ama, assim nos programou de modo a que a dor nos fosse ou tolerável ou breve.

8 As dores mais fortes instalam-se nas partes mais delgadas do corpo: nervos e articulações e o que for afilado padece atrozmente quando um membro é tomado por males. Mas essas partes logo se entorpecem e perdem a sensibilidade à dor devido à própria dor, seja porque a respiração, com seu fluxo natural bloqueado e prejudicado, perdeu a força que nos anima e alerta, seja porque humores infectados, quando já não têm para onde fluir, sufocam-se e tiram a sensibilidade nos membros em que se infiltraram em excesso.

9 Assim, a gota e a artrite e toda dor nas vértebras e nos nervos faz uma pausa quando embota os membros que retorcia: a manifestação inicial de todas elas faz sofrer, o impacto se extingue com o tempo e o fim da dor é ficar dormente. Justamente porque surge em partes pequenas do corpo, a dor nos dentes, olhos e ouvidos é agudíssima, não menos – por Hércules! – que a da própria cabeça, mas se esta for mais violenta, converte-se em delírio e torpor.

10 Desse modo, é este o consolo para uma dor agressiva: é inevitável que a deixes de sentir se a tiveres sentido excessivamente. Ora, no sofrimento do corpo, o que faz mal aos despreparados é que não se acostumaram a contentar-se com o espírito, ocuparam-se muito do corpo. Por isso, o homem grandioso e prudente separa o espírito do corpo e se envolve muito com sua parte melhor e divina, apenas o necessário com esta queixosa e frágil.

11 Alguém diz: "Mas é penoso ficar sem os prazeres costumeiros, abster-se de comida, passar sede, passar fome". No início da abstinência, estas coisas pesam, em seguida, o desejo diminui porque os mesmos que nos fazem desejar estão fatigados e deficientes: o estômago fica, então, lento; os que tinham avidez por comida têm, então, repulsa por ela. Os próprios desejos morrem. Ora, não há amargura em não ter o que se deixou de desejar.

12 Soma a isso que não há dor que não faça uma pausa ou, pelo menos, diminua. Soma a isso que é possível precaver-se e resistir a uma dor iminente com remédios. De fato, não há uma que não antecipe seus sinais, principalmente a que ocorre com frequência. Pode-se tolerar uma doença se a sua pior ameaça for tratada com desdém.

13 Não tornes tu mesmo o que já é ruim pior, e não te sobrecarregues com queixumes: é leve a dor que não se deixa impressionar. Pelo contrário, se começas a exortar a ti mesmo e a dizer "isso não é nada ou, pelo menos, é pouco, resistamos, já vai passar", a dor será leve enquanto pensares assim. Tudo depende da impressão que temos. Não é só a ambição, a luxúria e a avareza que se baseiam nela: adoecemos de acordo com nossa impressão.

14 Qualquer um é tão infeliz quanto crê sê-lo. Julgo que devam ser abandonadas as lamúrias de antigas dores e palavras assim: "Ninguém jamais sofreu tanto. As torturas, os males que suportei! Ninguém supôs que eu me reergueria. Quantas vezes meus familiares choraram por mim, quantas vezes os médicos me deram por perdido. Nem os colocados sobre a mesa de tortura são assim destroçados". Mas se essas coisas são mesmo verdadeiras, ficaram para trás. Ajuda em que relembrar dores antigas, ser infeliz porque já o foste? Por que todos exageram o próprio sofrimento e mentem a si mesmos? Ademais, é reconfortante ter suportado o que foi amargo suportar: é natural alegrar-se com o fim do mal que te abatia. Logo, há que eliminar os dois, tanto o medo do futuro como a memória de um incômodo anterior: a última já não me diz respeito; a primeira, ainda não.

15 Quem se encontra numa dificuldade dessas deve dizer:

> *Talvez seja agradável recordar um dia mesmo coisas assim*[120].

---

120 Citação da *Eneida* I.203, épico latino do poeta Virgílio (I a.C.).

Que ele lute contra com todo ânimo: será vencido se ceder; vencerá se intentar contra a própria dor. Ora, a maioria o que faz é atrair para si a ruína à qual é preciso se opor. Isso que te oprime, que te ameaça, que te pressiona, se passares a esquivar-te dele, isso vai te perseguir e acossar mais. Se te firmares contra e quiseres resistir, será repelido.

16 Quantos golpes os campeões recebem no rosto! Quantos em todo o corpo! No entanto, suportam cada tormento por aspirarem à glória, e não é apenas porque lutam que padecem essas coisas, mas para que lutem: o próprio treinamento é um tormento. Que também nós conquistemos todas as provas, cujo prêmio não é nem uma coroa, nem uma palma, nem mesmo uma trombeta impondo silêncio para a proclamação de nosso nome, mas virtude e ânimo forte e a paz que nos aguarda se uma vez, num combate qualquer, a fortuna foi derrotada.

17 "Sinto uma dor intensa." E então? A sensação será diferente se a suportares como uma mulherzinha? Do mesmo modo que o inimigo é mais nocivo aos que fogem, assim todo incômodo fortuito persegue mais quem vai lhe dando as costas. "Mas pesa." Então? É para isso que somos fortes, para carregarmos o que é leve? De duas uma, queres uma doença prolongada ou uma violenta e breve? Se for prolongada, ela tem uma pausa, dá chance de recuperação, nos concede muito tempo; é inevitável que tenha um pico e desapareça. Uma doença breve e agressiva fará uma de duas coisas: ou ela se acaba ou acaba contigo. Ora, que diferença faz que ela não exista ou que eu não exista? De um jeito ou de outro, há um fim para a dor.

18 Será útil também que desvies para outros pensamentos o teu espírito e o afastes da dor. Pensa no que com honradez e bravura fizeste, trata contigo mesmo sobre as partes boas, resgata a memória das coisas que mais te surpreenderam, então, deve te ocorrer quem é o mais forte e vitorioso sobre a dor: aquele homem que perseverou na leitura de um livro enquanto lhe secavam as varizes, aquele que não deixou de rir quando torturadores, irritados com isso mesmo, experimentavam nele todos os instrumentos da sua crueldade. Não será vencida pela razão a dor que foi vencida pelo riso?

19 Ora, podes citar o que quiseres: expectorações e a virulência de uma tosse constante que faz escarrar sangue e a febre queimando o próprio peito e a sede e os membros retorcidos pelas articulações deformadas. E mais: o fogo e a mesa de torturas e a lâmina em brasa e algo que, forçado sobre os mesmos ferimentos inchados, os reabriria e pressionaria mais fundo. Contudo, em meio a isso tudo, houve quem não gemeu. É pouco: não implorou. É pouco: não respondeu. É pouco: riu, e foi de coração. Depois disso, não queres ridicularizar a dor?

20 Alguém diz: "Mas a doença não me permite fazer nada. Ela me afastou de todas as obrigações". A enfermidade se apodera do teu corpo, não do teu espírito. Desse modo, torna mais lentos os pés do corredor, paralisa as mãos do sapateiro ou do artesão. Se estás acostumado a usar teu espírito, vais convencer e ensinar, vais ouvir e aprender, vais perguntar e recordar. E depois? Crês não fazer nada se fores um enfermo dócil? Mostrarás que a doença pode ser superada ou, pelo menos, tolerada.

21 Creia em mim, há ocasião de ser corajoso mesmo de cama. Não apenas as armas e as frentes de batalha dão provas de um espírito enérgico e intrépido diante do terror, também sob as cobertas se revela um homem valente. Tens o que fazer: travar uma boa luta contra a doença. Se nada te força, se nada te compele, dás um belo exemplo. Teríamos tanto motivo de orgulho se fôssemos observados quando enfermos! Observa a ti mesmo, louva a ti mesmo.

22 Além disso, há dois tipos de prazeres. A doença inibe os do corpo, contudo, não os tolhe. Na verdade, se observares bem, os incita. Agrada mais beber quando se está sedento, é mais saborosa a comida para o faminto: tudo que escapa à abstinência é consumido mais avidamente. Na realidade, os prazeres do espírito, que são mais elevados e mais seguros, nenhum médico nega ao doente. Quem os persegue e os compreende bem desdenha todas as seduções dos sentidos.

23 "Que doente infeliz!" Por quê? Por que não dilui neve no vinho? Por que não volta a refrescar com gelo moído sua bebida, que preparou numa taça exagerada? Por que não são abertas ostras do lago Lucrino à sua própria mesa? Por que não há, circulando na sua sala de jantar, o tumulto dos cozinheiros transportando fogareiros com iguarias? De fato, é isso que nossa luxuosidade agora inventou: para que nenhuma comida esfrie e nada chegue menos que fervendo ao palato já calejado, a cozinha se transfere para a sala de jantar.

24 "Que doente infeliz!" Comerá quanto puder digerir. Não ficará à vista um javali, carne banida da mesa como inferior, nem na sua travessa serão empilhados peitos de aves (de fato, vê-las inteiras dá enjoo). Que mal te fez? Jantarás como um doente, ou melhor, uma vez, como uma pessoa saudável.

25 Mas suportaremos facilmente todas estas coisas: a sopa, a água quente e tudo o mais que parece intolerável aos esnobes e amolecidos pelo luxo e que têm mais doente o espírito que o corpo. Deixemos apenas de ter horror à morte. Ora, deixaremos desde que conheçamos os limites do que é o bem e do que é o mal. Assim, afinal, nem a vida trará tédio, nem a morte, temor.

26 Por certo, o enfado consigo mesmo não pode se apoderar de uma vida que presencia tantas coisas variadas, grandiosas, divinas: é o ócio improdutivo que costuma conduzir a vida ao ódio de si. Para quem perscruta a natureza, a verdade nunca resultará um fastio, o falso é que causará enfado.

27 Depois, se a morte o está chamando, ainda que seja prematura, ainda que corte ao meio a existência, seu fruto é percebido como se fosse muito longa. Boa parte da natureza já não é um mistério para ele, que sabe que a honradez não aumenta com o tempo. É inevitável que toda vida pareça breve a esses que a medem pelos prazeres vãos e, por isso, sem fim.

28 Busca conforto nestes pensamentos e, entretanto, arranja tempo para nossas cartas. Em algum momento, haverá ocasião de nos encontrarmos e convivermos de novo: não importa quão breve, será longa sabendo aproveitá-la bem. Pois, como diz Posidônio[121]: "Um só

---

121 Posidônio (c.135-51 a.C.) de Apameia, na Síria, foi filósofo estoico e manteve escola na ilha grega de Rodes.

dia dos homens instruídos se estende mais que a longuíssima existência dos despreparados".

29 Entretanto, retém isto, fixa isto: não ceder às adversidades, não crer em facilidades, ficar de olho em cada liberalidade da fortuna como se tudo o que ela pode fazer estivesse para acontecer. Tudo o que se espera há tempos pesa menos quando chega.

Epístola 82

“A morte é honrosa pelo que tiver de honroso, ou seja, virtude e espírito que desdenham o que nos é externo” (*mors honesta est per illud quod honestum est, id est, virtus et animus externa contemnens*): Sêneca situa filosoficamente a morte como um “indiferente”, que se torna um bem se for associado à virtude.

1 Já parei de me preocupar contigo. “Qual dos deuses tomaste como meu fiador?” – indagas. Sem dúvida, este que não engana ninguém: o espírito que ama o que é justo e bom. A melhor parte de ti está a salvo. A fortuna pode cometer uma injúria[122] contra ti, o que mais importa é que não temo que tu cometas uma contra ti mesmo. Prossegue no caminho que empreendeste e acomoda-te a esse modo de vida com placidez, não com moleza.

2 Prefiro viver mal a viver na moleza – entenda agora <“mal”>[123] do mesmo modo que o povo costuma usar: na dureza, na dificuldade, na batalha. Costumamos ouvir elogiarem assim a vida de alguns que são invejados:

---

122 Sêneca trata da noção de “injúria” no diálogo *De Constantia Sapientis*. Em 5.3, lê-se: “A injúria tem este propósito, de causar o mal a alguém” (*iniuria propositum hoc habet, aliquem malo adficere*).

123 Inserção feita pelo editor do texto latino.

"Vive na moleza", querendo dizer, "é um molenga". De fato, pouco a pouco, o espírito vai se afrouxando e se assemelhando à sua ociosidade e à preguiça em que se deixa ficar. E então? Não é melhor ao homem endurecer-se? ***[124] depois, homens delicados temem o mesmo, a morte, à qual fizeram semelhante a própria vida. É grande a diferença entre o ócio[125] e o túmulo.

3 Tu dizes: "E então? Não é melhor deixar-se ficar assim do que ser tragado no vórtice de nossas funções?" Uma e outra coisa são detestáveis, tanto a agitação como o torpor. Considero igualmente mortos quem jaz entre flores e quem é capturado no gancho[126]: o ócio sem a literatura é morte e sepultura para o homem em vida.

4 E de que vale ter se isolado? Como se os motivos das preocupações não nos acompanhassem através dos mares! Que abrigo há em que não entre o medo da morte? Que retiro da vida há tão protegido e isolado que a dor não aterrorize? Onde quer que te escondas, os males da humanidade te assediarão. Há muitas coisas externas que nos rodeiam para nos enganar ou nos acossar. Há muitas coisas internas que ficam fervilhando em plena solidão.

5 A filosofia deve nos circundar como um muro inexpugnável que a fortuna não transpõe mesmo tendo-o atacado com muita artilharia. Está numa posição ina-

---

124 Lacuna no manuscrito.

125 Sêneca trata da noção de "ócio" no diálogo *De Otio*. O ócio para o cidadão romano da Antiguidade era uma oportunidade de dedicar-se à educação, escapando temporariamente às funções públicas.

126 Condenados por traição eram arrastados por um gancho até serem lançados no rio Tibre. Cf. Fantham, p. 294 e Roca-Melia, vol. 2, p. 29.

tingível o espírito que desistiu do que se encontra fora e defende-se em seu próprio baluarte: nenhum dardo chega até ele. A fortuna não tem tanto alcance como imaginamos, não controla ninguém exceto quem se apega a ela.

6 Desse modo, afastemo-nos dela tanto quanto possível, o que só o conhecimento de si mesmo e da natureza permitirá. Que o homem saiba para onde vai e de onde veio, o que para ele é o bem e o que é o mal, o que procurar e o que evitar, que razão é essa capaz de discernir coisas que devemos buscar e coisas de que devemos fugir, com a qual se amansa a loucura dos desejos e se contém a sevícia[127] dos temores.

7 Certos homens supõem que dominaram isso tudo por conta própria, mesmo sem a filosofia, mas quando, tranquilos, algum revés os pôs à prova, arranca-se uma confissão tardia: somem as palavras solenes quando o torturador exigiu a mão, quando a morte chegou mais perto. Podias dizer-lhe: "Desafiavas com facilidade os males que não estavam ali. Aqui está a dor que dizias suportar. Aqui está a morte contra a qual falaste tantos impropérios. Estalam os chicotes, a espada reluz:

> *Agora é preciso ânimo, Eneias, agora, peito firme*"[128].

8 Ora, a meditação frequente fará firme o teu peito se treinares não o discurso, mas o espírito, se te prepa-

---

127 No texto latino de Reynolds consta "*saexitia*". Melhor: "*saevi tia*", da edição Loeb Classical Library.

128 Citação da *Eneida* VI.261, épico latino do poeta Virgílio (I a.C.).

rares para enfrentar a morte, contra a qual não vai te animar nem entusiasmar quem tentar te persuadir com sofismas de que a morte não é um mal. De fato, Lucílio, grande homem, é bom rir das tolices dos gregos que, embora eu me admire, ainda não dispensei.

9 Nosso Zenão faz uso deste silogismo[129]: "Nenhum mal é glorioso; ora, a morte é gloriosa; logo, a morte não é um mal". Conseguiste! Estou livre do medo, depois disso não hesitarei em oferecer meu pescoço! Não queres falar mais a sério e não levar ao riso quem está para morrer? Por Hércules! Não seria fácil te dizer qual dos dois foi mais tolo, quem julgou que eliminava o medo da morte com esse silogismo ou quem tentou refutá-lo, como se fosse pertinente.

10 Pois, ele mesmo propôs um silogismo contrário, partindo de que nós[130] colocamos a morte entre os "indiferentes", que os gregos chamam ἀδιάφορα: "Nada indiferente é glorioso; ora, a morte é algo glorioso; logo, a morte não é um indiferente". Vês onde esse silogismo falha: a morte não é gloriosa, mas morrer com bravura é que é glorioso. E quando dizes "Nada indiferente é glorioso", concordo contigo, mas devo dizer que nada é glorioso senão em relação aos indiferentes. Como exemplo de indiferentes (i. é, o que não é bom nem mal), cito a doença, a dor, a pobreza, o exílio, a morte.

---

129 Citação do Fragmento 196 Von Arnim do filósofo Zenão de Cício (c. 334-c.262 a.C.), fundador da Escola do Pórtico em Atenas ou Estoicismo (em grego, pórtico é ἡ στοά). Cf. ep. 36.3.

130 Neste e em outro ponto da carta, "nós" refere-se aos estoicos, Sêneca inclui-se entre eles.

11 Nada disso é glorioso em si, contudo, nada é glorioso sem isso. De fato, elogia-se não a pobreza, mas aquele homem que não se sujeita nem se curva à pobreza. Elogia-se não o exílio, mas aquele homem que partiu para o exílio com o semblante mais valente do que se tivesse enviado alguém. Elogia-se não a dor, mas aquele homem que a dor não obriga a nada. Ninguém elogia a morte, mas o homem cujo espírito a morte arrebatou antes de transtorná-lo.

12 Todas estas coisas não são em si honrosas nem gloriosas, mas qualquer uma delas que a virtude aborda e cultiva torna-se algo honroso e glorioso: elas estão numa posição neutra. A diferença é se foi a maldade ou a virtude que interveio. De fato, a morte, que é gloriosa no caso de Catão[131], é automaticamente torpe e vergonhosa no caso de Bruto. Este é, de fato, o Bruto[132] que, à beira da morte e procurando adiá-la, apartou-se para aliviar os intestinos e, depois de chamado a morrer e obrigado a oferecer o pescoço, disse: "Oferecerei, assim eu possa viver". Que loucura é fugir quando não se pode voltar atrás! "Oferecerei, assim eu possa viver", disse, quase acrescentando: "Até sob o domínio de Antônio". Que homem digno de que fosse entregue à vida!

13 Mas, como eu dizia, vês como a morte propriamente não é nem um bem, nem um mal: Catão passou por ela com muita honradez; Bruto, com muita torpeza. Tudo

---

131 Catão de Útica, tomado por Sêneca como exemplo de virtude. Cf. ep. 24.6 e 70.19.

132 Possivelmente *Decimus Junius Brutus Albinus* (c. 85-43 a.C.), general que conspirou para a morte de Júlio Cesar em 44 a.C., mas não se trata de *Marcus Junius Brutus*, que liderou o grupo de assassinos.

a que a virtude é acrescentada ganha um decoro que não tinha. Dizemos que um cômodo é iluminado, esse mesmo que é muito escuro à noite: o dia infunde luz a ele, a noite a surrupia.

14 É assim com essas coisas a que nomeamos "indiferentes" ou "neutras": riqueza, força, beleza, honrarias, poder e, na outra ponta, morte, exílio, falta de saúde, dores e as outras que tememos um pouco mais, um pouco menos: é a maldade ou a virtude que lhes dá o nome de "bem" ou de "mal". Uma peça de metal em si não é nem quente nem fria: lançada à fornalha, torna-se brasa; mergulhada em água, resfria. A morte é honrosa pelo que tiver de honroso, ou seja, virtude e espírito que desdenham o que nos é externo.

15 Lucílio, também há grande diferença entre essas coisas que chamamos "neutras". De fato, a morte não é um indiferente do mesmo tipo que ter fios de cabelo em número par <ou ímpar>[133]. A morte encontra-se entre aquelas coisas que não são efetivamente más, contudo, dão a impressão de um mal. O amor que a pessoa tem por si mesma é a vontade interior de perdurar e preservar-se, assim como a aversão à extinção ***[134] porque parece privar-nos de muitas coisas boas e afastar-nos de uma profusão de coisas às quais nos acostumamos. O que também nos indispõe com a morte é que já conhecemos estas coisas ao passo que aquelas para as quais faremos a transição desconhecemos – e temos horror

---

133 Trecho suplementado pelo editor do texto latino.

134 Lacuna no texto latino.

do desconhecido. Além disso, é natural ter medo das trevas às quais, como se crê, a morte há de nos conduzir.

16 Desse modo, mesmo se a morte é um indiferente, contudo, não é do tipo que possa ser facilmente ignorado: o espírito deve ser fortalecido com extensiva exercitação para que suporte a visão e o assédio dela. Deve-se ter um desdém pela morte maior do que se costuma ter. De fato, passamos a acreditar em muitas coisas em relação a ela. Houve disputa entre muitos com talento para aumentar sua má fama. Descreveu-se um cárcere no mundo inferior e uma região oprimida pela perpétua noite, na qual:

> *o enorme porteiro do Orco,*
> *reclinado sobre ossos roídos num antro cruento,*
> *ladra eternamente e aterroriza sombras exangues*[135].

Mesmo quando estiveres convencido de que são fábulas e que a defuntos não resta o que temer, emerge outro medo: de fato, eles temem igualmente estar nos ínferos como estar em lugar algum.

17 Frente a esses antagonismos, que uma crença prolongada incutiu em nós, suportar a morte corajosamente não será glorioso e uma das mais nobres conquistas da mente humana, que jamais vai elevar-se à virtude se acreditar que a morte é um mal? Vai elevar-se se considerá-la um indiferente. É da natureza que alguém de bom espírito não se aproxime do que julga ser um mal:

---

135 Sêneca reúne versos da *Eneida VI.400-401 e VIII.296-297*, num procedimento de "*contaminatio*". O autor se refere ao cão Cérbero, que guarda as portas do Tártaro. Cf. Reynolds, p. 275.

só virá vagarosa e lentamente. Ora, não é glorioso algo que se faz contrariado e tergiversando. Não há nada que a virtude faça apenas por necessidade.

18 Acrescenta ainda que nada se torna honroso se a isso o espírito não se devotou e se envolveu por completo, se a isso não recusou parte alguma de si. Ora, quando se é levado ao mal ou pelo medo de coisas piores ou pela esperança de coisas boas que compensa alcançar tendo que suportar um só mal, entram em conflito os juízos desse agente: de um lado, há um que ordena cumprir seus propósitos; de outro, um que se retrai e foge de uma situação suspeita e arriscada. Portanto, fica-se dividido. Se assim é, não há glória. De fato, a virtude cumpre princípios com a concordância do espírito, não tem medo do que faz:

> *Tu não cedas aos males, mas enfrenta-os mais audaz*
> *Do que te permita tua fortuna*[136].

19 Não serás mais audaz ao enfrentá-los se acreditares que são males. Deve-se arrancar isso do peito. De resto, a suspeita, que leva a adiar o impulso de agir, te fará hesitar. Será forçado a algo quem deveria tomar a dianteira.

Com efeito, os nossos querem que seja visto como verdadeiro o silogismo de Zenão, mas falso e falacioso o que se opõem a ele. Eu mesmo não reduzo estas questões à lei da dialética e aos nós de um artifício muito débil. Considero que deve ser banido por completo esse gênero pelo qual se sente logrado quem é questionado e, levado a se posicionar, pensa uma coisa e responde

---

136 Citação da *Eneida* VI.95-96, épico latino do poeta Virgílio (I a.C.).

outra. Pela verdade, deve-se agir com mais clareza; contra o medo, com mais bravura.

20 Estas mesmas questões que eles tornam obscuras eu preferiria esclarecer e explicar para persuadir, não para impor. Como exortará para a batalha em defesa de esposas e filhos o comandante de um exército prestes a deparar-se com a morte? Apresento a ti os Fábios[137], que assumiram unicamente em sua família a guerra da República inteira. Mostro a ti os lacedemônios, posicionados ali mesmo no estreito das Termópilas[138]: não esperavam nem a vitória nem o regresso; aquele lugar seria o seu sepulcro.

21 De que modo exortar a que façam de seus corpos obstáculos à destruição de todo um povo e que renunciem à vida ao invés de seu posto? "O que é um mal não é glorioso; a morte é gloriosa; logo, a morte não é um mal" – é isso que dirás? Que discurso eficaz! Quem, depois disso, teria dúvidas em lançar-se à ponta das espadas inimigas e morrer mantendo seu posto? Mas com que bravura o ilustre Leônidas dirigiu-se a eles! Disse: "Companheiros de armas, almoçai assim como quem está para cear no mundo inferior". A comida não se demorou em suas bocas, não ficou presa nas gargantas, não escapou de suas mãos: animados, comprometeram-se com ele tanto para o almoço como para a ceia.

---

137 A família Fábia (*gens Fabia*, em latim) defendeu o território romano contra os etruscos e foi dizimada em 477 a.C., segundo a lenda. Cf. Fantham, p. 294.

138 Desfiladeiro célebre pela morte heroica dos trezentos espartanos liderados por Leônidas em 480 a.C.

22 Que mais? Aquele ilustre general romano, que se dirigiu assim aos soldados enviados para ocupar uma posição quando estavam prestes a atravessar pelo enorme exército inimigo: "Companheiros de armas, é necessário ir lá, de lá não é necessário voltar". Vês como é clara e imperiosa a virtude: Que mortal vossos sofismas podem fazer mais valente, mais altivo? Eles fragilizam o espírito, que jamais deve estar menos pressionado e forçado a questões menores e espinhosas do que quando se dispõe a algo grandioso.

23 Não dos trezentos, mas de todos os mortais o temor da morte precisa ser extirpado. Como ensinas a eles que ela não é um mal? Como os despes de opiniões de uma vida inteira, embutidas desde muito cedo na infância? O que encontras como auxílio para a fragilidade humana? O que dizes para que, entusiasmados, se arrojem em meio aos riscos? Com que discurso afastas esse consenso em torno do temor, com que recursos do intelecto afastas essa crença persistente do gênero humano contrária a ti? Compões textos capciosos para mim e teces silogismos? É com armas de porte que se combatem os portentos.

24 Aquela cruel serpente[139], na África, mais terrível para as legiões romanas que a própria guerra, a atacaram em vão com flechas e fundas: nem a Pítio[140] ela era vulne-

---

139 A serpente do rio Bagrada, hoje rio Megerda (Tunísia), durante a Primeira Guerra Púnica (III a.C.).

140 Pítio é o epíteto do deus Apolo por ter matado a serpente Píton que guardava o oráculo de Delfos. Cf. Fantham, p. 295, que defende uma alusão a maquinário de guerra romano que tinha esse nome.

rável. Como sua enorme dimensão, sólida ao longo do vasto corpo, repelia a lâmina de ferro e tudo o que a mão humana havia arremessado, foi finalmente abatida com grandes pedras. E contra a morte tu disparas miudezas? É com um furador que enfrentas um leão? Estas tuas palavras são afiadas: nada é mais afiado que uma espiga. Mas é a própria sutileza que torna certas palavras inúteis e ineficazes.

Epístola 93

"É longa uma vida se ela for plena" (*longa est vita si plena est*): segundo Sêneca, obtém-se a plenitude da vida com o cumprimento das obrigações reservadas ao ser humano. As ações devem ser a medida de uma vida. A natureza regula os ciclos do universo, por isso, é descabida a censura ao destino que tolhe a vida de um homem.

1 Na carta em que te queixavas da morte do filósofo Metronate[141], como se ele pudesse – e devesse – ter vivido mais, senti falta do teu senso de justiça, que tens de sobra quanto a todas as pessoas, quanto a todos os problemas, e te falta numa só situação, na mesma que falta a todos. Encontrei muitos homens justos para com outros homens, nenhum para com os deuses. Diariamente, censuramos o destino: "Por que aquele foi levado no meio do caminho? Por que este não é levado? Por que prolonga a velhice, penosa tanto para si como para os outros?"

2 Eu te peço, qual dos dois te parece mais justo: Que tu obedeças à natureza ou a natureza a ti? Ora, que interessa que deixes logo o que terás que deixar mais cedo ou mais tarde? Não é preciso se preocupar em viver muito, só o suficiente, pois que se viva muito depende

---

141 O filósofo estoico tinha uma escola em Nápoles.

do destino, que se viva o suficiente, do espírito. É longa uma vida se ela for plena. Ora, ela se preenche quando o espírito devolveu para si seu próprio bem e retomou o domínio de si mesmo.

3 Em que o ajudam oitenta anos transcorridos por inércia? Um homem desses não viveu, mas demorou-se na vida – e não é que morreu tarde, mas levou muito tempo a morrer. "Viveu oitenta anos." O que interessa é que saibas contar a partir de que dia se deu a sua morte.

4 "Porém, aquele faleceu jovem." Mas cumpriu as obrigações de um bom cidadão, de um bom amigo, de um bom filho, em parte alguma falhou. Ainda que a duração de sua existência não tenha sido perfeita, sua vida foi perfeita. "Viveu oitenta anos." Melhor, existiu por oitenta anos, a não ser que, talvez, digas que ele viveu assim, como se diz que árvores vivem. Lucílio, eu te peço, façamos de modo que nossa vida, como as preciosidades da natureza, não seja muito grande, mas tenha muito peso. É por nossas ações que devemos mensurá-la, não por sua duração. Queres saber qual a diferença entre esse homem vigoroso que tem desdém pela fortuna, que cumpriu todos os deveres da vida humana sendo alçado ao bem supremo, e aquele que passou por tantos anos? Um ainda existe no pós-morte, o outro pereceu antes da própria morte.

5 Desse modo, devemos homenagear e incluir entre os afortunados este ao qual coube bem o pouco tempo que lhe foi dado. De fato, ele viu a verdadeira luz do dia, não foi um como muitos, viveu e evoluiu. Algumas vezes, desfrutou de um céu sereno, outras vezes, como é normal, o brilho do astro-rei irrompeu em meio a nuvens.

Por que perguntar quanto tempo viveu? Ele vive: alcançou a posteridade e passou para a memória.

6 Nem por isso eu recusaria que me concedessem mais anos. Contudo, posso dizer que nada me faltou para uma vida feliz se sua duração for reduzida. De fato, não me programei para o dia específico que uma ávida esperança prometera como o último, mas considerei todos como o último. Por que me indagas quando nasci ou se ainda sou recenseado entre os jovens?[142] Já tenho o meu quinhão.

7 Do mesmo modo que um corpo de feitio menor comporta um homem perfeito, um intervalo de tempo menor comporta uma vida perfeita. A duração da existência é um fator externo. O quanto deve durar a minha vida não depende de mim; o quanto ela vai durar verdadeiramente depende de mim. Exige isso de mim, que eu não atravesse uma existência inútil, como se em meio a trevas. Que eu dirija a minha vida, não me deixe levar por ela.

8 Perguntas qual é o intervalo mais longo de uma vida? Viver até alcançar a sabedoria. Quem chegou a ela atingiu não o limite mais distante, e sim o limite máximo. Que tal homem, porém, tenha a ousadia de gabar-se, agradeça aos deuses e, entre eles, a si mesmo, e que cobre da natureza o que aconteceu. De fato, fará com razão essa cobrança: a ela retribuiu com uma vida melhor do que a que recebeu. Colocou-se como modelo de

---

142 Os homens romanos de 17 a 45 anos eram classificados como *juniores*, acima disso, *seniores*.

bonus vir[143], mostrou sua qualidade e seu valor. Qualquer dia adicional nada teria mudado.

9 E, contudo, até quando vivemos? Desfrutamos do conhecimento de todas as coisas: sabemos sobre quais princípios a natureza se sustenta, de que modo organiza o mundo, como chama um novo ano por meio das estações, de que modo circunscreveu todas as coisas à solta e fez de si mesma seu próprio limite. Sabemos que os astros têm movimento próprio, que nada para além da terra fica parado[144], que todo o resto transita numa velocidade constante. Sabemos de que modo a lua ultrapassa o sol, porque mesmo mais lenta deixa atrás de si o mais veloz, como ela recebe e perde sua luz, o que induz a noite, o que reconduz o dia. Deve-se ir para lá, onde se podem ver estas coisas mais de perto.

10 Aquele que é sábio diz: "E não parto mais corajosamente com essa esperança, porque estou contando que o caminho até meus deuses esteja aberto para mim. De fato, mereci ser admitido e já estive entre eles e, para lá, enderecei meu espírito e os seus eles haviam endereçado até mim. Mas suponha que eu seja tolhido no meio da vida e que nada reste do homem no pós-morte: mantenho meu espírito igualmente forte, mesmo se me retiro sem transição[145] para lugar algum".

11 Ele não viveu tantos anos quantos poderia. Mesmo um livro de poucos versos pode receber elogios e ser

---

143 O conceito de "bom cidadão" implica, na Roma antiga, o aristocrata romano de elevada moral e habilidade oratória.

144 Sêneca adota nesta carta uma visão geocêntrica do universo.

145 Cf. ep. 65.24, em que há referência à transição.

útil: sabes como são volumosos os "Anais" de Tanúsio[146] e como são chamados. A vida longa de certas pessoas é isto, como o que acompanha os "Anais" de Tanúsio.

12 Acaso julgas mais feliz quem é morto no encerramento do dia de jogos do que quem é morto no meio dele? Acaso supões haver alguém que deseja a vida de maneira tão idiota que prefira ser degolado no *spoliarium*[147] que na arena? Não é com intervalo maior do que esse que precedemos uns aos outros. A morte cruza o caminho de todos. Quem mata segue de perto quem foi morto. É muito barulho por nada. Ora, que importa quanto evites o que não podes evitar?

---

146 Historiador cuja identidade é incerta. Um *Tanusius Geminus* é mencionado pelo historiador Suetônio na "Vida dos Césares" IX.2, mas é possível que Sêneca se refira ao epíteto *cacata carta* ("papéis cagados") dado pelo poeta Catulo (36.1) aos "Anais" de certo Volúsio. Cf. Segurado e Campos, p. 478.

147 Para onde eram levados os gladiadores feridos. Os incuráveis eram mortos. Cf. Natali, p. 1.046, n. 625.

Epístola 101

“Como é tolo programar a existência não sendo dono nem mesmo do amanhã!” (*Quam stultum est aetatem disponere ne crastini quidem dominum*): Sêneca reflete nesta carta sobre a imprevisibilidade da morte e condena a prática da acumulação de riquezas. O apetite pelo futuro é um devorador do espírito, alerta o autor, citando o poema de Mecenas, patrono das letras e conselheiro de Otaviano Augusto, que se sujeitaria à tortura mais atroz desde que vivesse. Leia a carta 1.

1 Cada dia, cada hora revela que nada somos e com alguma nova evidência adverte os que se esqueceram da própria fragilidade; então, depois que meditaram sobre a eternidade, força-os a reconsiderar a morte. Perguntas qual a intenção deste início? Conheceste Cornélio Senécio, romano da ordem equestre[148], distinto e prestativo. Ele tinha se feito a partir de um começo modesto e já tinha um caminho rápido para o sucesso – de fato, é mais fácil aumentar seu prestígio do que construí-lo do zero.

2 Também a riqueza se demora rodeando a pobreza, e se estabelece desde que a outra se afaste. Senécio já estava na iminência de ser rico, a que o conduziam duas carac-

148 A sociedade romana era dividida em ordens: senatorial (*ordo senatorius*) e equestre (*ordo equester*), além dos libertos e dos escravos. Cf. ep. 24.11.

terísticas muito eficazes, o saber ganhar e o saber poupar, das quais uma ou outra poderia tê-lo feito abastado.

3 Este homem de extrema frugalidade, não menos cuidadoso com seu patrimônio do que com seu corpo, depois de ter me visitado pela manhã como era o costume[149], depois de ter assistido durante todo o dia até à noite um amigo seriamente enfermo e desenganado, depois de ter jantado alegremente, foi tomado por um tipo de mal-estar repentino, a angina, e arrastou com dificuldade até a luz do dia sua respiração limitada pela garganta fechada. Logo, dentro de pouquíssimas horas depois de ter cumprido todos os préstimos de um homem são e saudável, morreu.

4 Ele, que perseguia a riqueza no mar e em terra, que também chegara à esfera pública não deixando de experimentar nenhum tipo de ganho, foi levado no momento exato em que as coisas iam bem, na exata ocasião em que afluía a riqueza.

> *Enxerta essas pereiras, Melibeu, alinha as vides!*[150]

Como é tolo programar a existência não sendo dono nem mesmo do amanhã! Como é grande a loucura dos que alimentam longas esperanças: vou adquirir, vou construir, vou emprestar, vou cobrar, vou seguir uma carreira, então, em seguida, vou devotar minha velhice cansada e saciada ao ócio.

---

149 Trata-se da prática romana da visita matinal dos clientes aos seus patronos.

150 Citação das *Bucólicas* I.73, do poeta Virgílio (I a.C.), na tradução de Péricles Eugênio da Silva Ramos. Uma possível chave de leitura da ironia do verso está no hemistíquio anterior, não citado: "Foi para outros que semeamos!"

5 Crê em mim: tudo é duvidoso mesmo para os afortunados. Ninguém deve prometer nada a si mesmo acerca do futuro. O que temos também nos escapa das mãos, e o acaso incide sobre a hora mesma à qual nos agarramos. Uma lei efetivamente conhecida regula o tempo, mas no escuro. Ora, o que me importa se houver na natureza uma certeza que para mim é incerteza?

6 Nós nos propomos a longas navegações e a retornos tardios para a pátria depois de errarmos por litorais estrangeiros; à atividade militar e a demoradas compensações pelos sofrimentos em campanha; a governar províncias e a progredir por meio dos encargos desses cargos e, entretanto, a morte está ao nosso lado. Uma vez que nunca se pensa nela, exceto na morte alheia, de quando em quando se impõem exemplos da nossa condição mortal que perduram não mais do que dura a nossa surpresa.

7 Ora, o que é mais estúpido do que se surpreender que tenha acontecido num dia o que pode acontecer todos os dias? Com efeito, nosso término se situa onde a inexorável força do destino o fixou, mas nenhum de nós sabe quão perto está do término. Desse modo, preparemos nosso espírito como se tivesse chegado ao ponto extremo.

8 Não adiemos nada, fiquemos quites com a vida diariamente. A maior falha da vida é que ela está sempre incompleta, que algo está sendo adiado. Quem assumiu diariamente as rédeas de sua vida não carece de tempo. Ora, é dessa carência que nascem o temor e o apetite pelo futuro que devora o espírito. Nada é mais deplorável do que a dúvida sobre o que nos aguarda e como isso vai acabar. A mente ansiosa com a quantidade e a qualidade daquilo que lhe resta agita-se com um medo inexplicável.

9 De que modo escaparemos a essa inquietação? De um único modo: se nossa vida não ansiar por mais, se ela está voltada a si mesma. De fato, quem despreza o presente fica à mercê do futuro. Porém, uma vez que saldei minha dívida para comigo, uma vez que minha mente equilibrada sabe que não há diferença entre um dia e um século, ela contempla sobranceira qualquer que seja a sucessão de dias e eventos por vir e pensa de muito bom humor na série de acontecimentos. De fato, como a inconstância e a oscilação dos acasos hão de te perturbar, se estiveres certo frente a incertezas?

10 Por isso, meu caro Lucílio, apressa-te em viver e supõe que um dia é uma vida. Quem se preparou desse modo, quem se apoderou diariamente de sua vida inteira, está tranquilo: aos que vivem de esperança, cada momento seguinte escapa, e insinuam-se a avidez e o tão deplorável medo da morte, causa de todas as situações deploráveis. Daí, Mecenas ter feito aquele tão vergonhoso voto, no qual não recusa nem a debilidade nem a deformidade nem, por fim, ser empalado[151], contanto que em meio a esses males se prolongue seu sopro de vida[152]:

---

151 Em latim, *non recusat [...] acutam crucem*. A "cruz pontiaguda" não é a cruz propriamente, mas uma estaca de madeira usada como instrumento de tortura para empalar a vítima. Cf. Fantham, p. 303.

152 Citação do Fragmento 1 Lunderstedt de *Gaius Cilnius Maecenas* (68-8 a.C.), o Mecenas, patrono das artes sob o império de César Augusto. Paul Lunderstedt compilou *De C. Maecenatis fragmentis* em 1911.

11

Débil de mãos faz-me,
Débil de pé manco,
Põe uma corcunda,
Tira dentes moles:
Está bem quem vive.
Mantém minha vida,
Mesmo se empalado.

12 Deseja-se algo que, se tivesse acontecido, seria muito deplorável e pede-se a prorrogação da tortura como se isso pudesse ser vida. Eu já o consideraria muito desprezível se ele quisesse viver até receber a estaca, e o que ele diz é: "Porém, tu podes debilitar-me desde que permaneça um sopro de vida no meu corpo fraturado e inútil; podes devassar-me desde que se some um pouco de tempo a meu corpo monstruoso e distorcido; podes suspender-me e sujeitar meu corpo, pronto a fixar-se na estaca pontiaguda". Vale tanto pressionar a própria ferida e pender estirado no patíbulo, desde que isso adie algo que é ótimo em meio a tais males, ou seja, o fim da tortura? Vale tanto ter uma *anima* de modo que eu possa expirar?

13 O que se pode desejar a tal homem senão deuses favoráveis? Qual a intenção dessa vergonhosa poesia nada viril? Que pacto de temor tão insano é esse? Que mendicância tão horrível pela vida é essa? Pode-se supor que Virgílio alguma vez tenha recitado para tal homem:

Até que ponto morrer é algo deplorável?[153]

---

153 Citação da *Eneida* XII.646, épico latino do poeta Virgílio (I a.C.).

Ele deseja os piores males e anseia por ser estendido e fixado, o que é mais duro suportar. Em troca de quê? Evidentemente, de uma vida mais longa.

14 Ora, morrer demoradamente é viver? Encontra-se alguém que queira perecer em meio a torturas e ser desmembrado e deixar a *anima* ir-se pouco a pouco ao invés de exalá-la de uma vez? Encontra-se quem queira ficar carregando essa *anima* que vai carregar tantos tormentos, depois de preso àquele infeliz pedaço de pau, já débil, já devassado, e reduzido a uma protuberância horrível nas costas e tórax, alguém que mesmo antes da estaca tivera muitas razões para morrer? Agora diz que não é uma grande benesse da natureza que seja inevitável morrer!

15 Muitos estão prontos até a pactuar coisas piores: mesmo trair um amigo para que vivam mais, e entregar pelas próprias mãos os filhos à devassidão para que lhe caiba ver a luz do dia, cúmplice de tantos crimes. É preciso despojar-se da ansiedade de viver e aprender que não faz diferença quando é que se vai sofrer o que mais cedo ou mais tarde é preciso sofrer. O que importa é que vivas bem, não que vivas muito. Ora, com frequência, viver bem é não viver muito.

Epístola 107

"O destino guia quem o aceita, arrasta quem o recusa" (*ducunt volentem fata, nolentem trahunt*): a máxima, embora atribuída ao estoico Cleanto, ficou associada a Sêneca. Na obra *Cidade de Deus*, Santo Agostinho reproduz esse trecho como exemplo da visão estoica que associa o destino ao Deus supremo.

1 Onde está aquela tua prudência? Onde está tua minúcia para discernir as coisas? Onde está tua grandeza? Uma coisa tão pequena te incomoda? Teus escravos consideraram as tuas ocupações uma oportunidade para a fuga. Se os amigos te enganavam – que mantenham esse nome que um erro nosso lhes atribuiu e que assim sejam chamados para que não se portem de maneira mais torpe – ***[154] todos teus interesses foram abandonados por aqueles que desmereciam o teu empenho e te consideravam incômodo a outras pessoas.

2 Nada disso é insólito, nada é inesperado. Ofender-se com tais coisas é tão ridículo quanto queixar-se de ser respingado <no balneário ou de ser empurrado>[155] num lugar público ou de se sujar na lama. É idêntica a condição na vida, no balneário, na multidão, num trajeto: certas coisas acontecerão intencionalmente, outras

154 Lacuna no manuscrito neste ponto e em outro desta epístola.

155 Adição "*in balneo aut vexeris*" por Ernout. Cf. Reynolds, p. 448.

serão incidentais. Viver não é uma delícia. Ingressaste numa longa estrada e convém que escorregues e tropeces e caias e te canses e chames falsamente: "Ó morte!" A certa altura deixarás um companheiro, em outro ponto enterrarás um, em outro ainda, vais temer um. Passando por esse tipo de obstáculos é que este trajeto acidentado precisa ser trilhado.

3 Alguém quer morrer? Que seu espírito se prepare contra tudo, que ele saiba que chegou aonde o raio lampeja, saiba que chegou aonde

> *O Luto e as Vigias vingativas fizeram as camas*
> *E moram as mórbidas Doenças e a triste Velhice*[156]

É nesse convívio que se deve passar a vida. Não podes escapar dessas coisas, mas podes desdenhá-las. Ora, o desdém virá se refletires com frequência e te adiantares ao que está para acontecer.

4 Todo mundo aceita com mais bravura aquilo para o que veio se dispondo ao longo de muito tempo e resiste também às duras circunstâncias se elas eram previstas. Já o despreparado se apavora até diante das coisas mais banais. É preciso agir para que nada nos surpreenda, e porque tudo é mais grave se é novidade, a reflexão assídua prevenirá que sejas um novato em qualquer situação ruim.

5 "Meus escravos me deixaram!" Escravos pilharam uma pessoa, denunciaram outra, mataram um, traíram outro, espancaram um terceiro, atacaram alguém com ve-

---

156 Citação da *Eneida* VI.274-275, épico latino do poeta Virgílio (I a.C.).

neno, outrem com calúnia: seja o que for que disseres, aconteceu a muitos *** afinal, muitos dardos variados são lançados contra nós: uns já estão cravados, outros vêm vibrando neste exato momento, alguns, que vão atingir terceiros, resvalam em nós.

6 Não devemos nos admirar com nada dessas coisas para as quais nascemos, das quais ninguém deve reclamar justamente porque são iguais para todos. É o que estou dizendo: são iguais, pois alguém poderia ter sofrido algo de que escapou. Ora, a Justiça é equitativa não por causa da experiência que todos tiveram com ela, mas porque foi ditada para todos. Que nosso espírito se renda ao equilíbrio e, sem queixas, paguemos a conta da nossa condição mortal.

7 Com o inverno, vem o frio: fica-se gelado. Com o verão, voltam os calores: fica-se quente. As intempéries testam nossa saúde: fica-se doente. Em algum momento, vamos nos deparar com uma fera e, mais pernicioso que todas as feras, com o ser humano. A água vai nos tirar algo, o fogo vai nos tirar algo. Não temos como mudar essa condição da realidade, o que podemos é desenvolver um espírito grandioso e digno de um bom homem para que enfrentemos bravamente o que é fortuito e entremos em harmonia com a natureza.

8 Ora, a natureza administra este reino que vês por meio de mudanças: o céu sereno substitui o nebuloso, mares calmos se tornam revoltos, ventos sopram alternados, o dia segue a noite, parte do céu surge enquanto parte se esconde – a eternidade do mundo constitui-se de contrários.

9 Nosso espírito deve se adaptar a esta lei: que a siga, que a obedeça, e que considere que precisava acontecer o que quer que aconteça, e não queira censurar a natureza. O melhor é suportar o que não se pode corrigir e acompanhar deus, autor de tudo o que existe, sem reclamações: é um mau soldado aquele que segue o comandante gemendo.

10 Por isso, recebamos ordens dispostos e animados, e não desertemos deste percurso de uma obra belíssima, percurso no qual foi traçado tudo o que enfrentaremos, e nos dirijamos assim a Júpiter[157], cujo leme pilota esta imensidão, do mesmo modo que nosso colega Cleanto[158] a ele se dirige com estes versos muito eloquentes, os quais tomo a liberdade de traduzir para o nosso idioma, seguindo o exemplo do eloquentíssimo Cícero. Se te agradarem, me felicites. Se desagradarem, saibas que nisso segui o exemplo de Cícero:

11

Guia-me, ó pai e dominador da abóbada celeste,
Aonde for do teu agrado: obedeço-te sem demora;
Aqui disposto estou. Se não quiser, segui-lo--ei gemendo
E sofrerei, como mau homem, o que serviria ao bom.
O destino guia quem o aceita, arrasta quem o recusa[159].

---

157 Júpiter é o deus máximo do panteão romano, como o Zeus grego, e nomeia o deus único estoico.

158 Cleanto de Assos (III a.C.), filósofo do chamado Estoicismo primeiro; foi diretor da escola do Pórtico.

159 Tradução feita por Sêneca do Fragmento de Cleanto S.V.F. I.527, porém o quinto verso não se encontra nas fontes gregas, podendo ser de autoria do escritor latino. Cf. Reynolds, p. 450.

12 Devemos viver assim, falar assim. Que o destino nos encontre prontos e dispostos. O espírito que a ele se entrega é grandioso, mas, ao contrário, é pequeno e indigno quem o combate e desaprova a ordenação do mundo, preferindo corrigir os deuses que a si mesmo.

Epístola 120

“Logo, cobra de ti mesmo que te conserves até tua partida tal como decidiste que te apresentarias” (*hoc ergo a te exige, ut qualem institueris praestare te, talem usque ad exitum serves*): Sêneca expõe como bem e honra são indissociáveis no Estoicismo e como se pode aprender com os *exempla* desde que não se tome o falso por verdadeiro. Ele desenvolve o argumento da homologia estoica, ou seja, a coerência, que eleva o espírito para além do medo da morte, entendendo o corpo como morada temporária. Esta carta pode ser lida como súmula das que a antecederam.

1 A tua carta percorreu muitas questões menores, mas parou em uma específica, que quer ver desenvolvida: como chegamos à noção de bem e honra. São duas coisas diferentes para outros. Para nós, estão apenas separadas.

2 Vou explicar: alguns julgam ser um bem o que é útil. Desse modo, nomeiam assim tanto a riqueza como um cavalo e vinho e calçados, a tal ponto depreciam o bem e o rebaixam ao nível do que é rasteiro. Eles julgam que honra é cumprir o reto dever ditado pela razão, tal como cuidar devotadamente do pai na velhice, ajudar um amigo na pobreza, ir à guerra com bravura, opinar com prudência e moderação.

3 <Nós>[160] as tratamos, de fato, como duas coisas que compõem uma – só é um bem o que é honroso; o que é honroso é necessariamente um bem. O que as distingue considero supérfluo acrescentar, visto que já falei disso tantas vezes[161]. Só vou dizer isto: não nos parece <um bem> o que pode ser usado também como um mal. Ora, vês como há muitos que usam mal a riqueza, o prestígio, a força. Logo, volto agora ao que queres discutir: como chegamos à noção primeira de bem e honra.

4 Isto, a natureza não pôde nos ensinar: ela plantou em nós a semente do conhecimento, não nos deu o conhecimento. Uns dizem que simplesmente nos deparamos com essa noção, o que é inacreditável, ter ocorrido a alguém, por acaso, a impressão da virtude. Parece-nos ter sido inferida da observação e da comparação de atos que se repetiram. Os nossos julgam que o entendimento do bem e da honra se deu por "analogia". Uma vez que os gramáticos latinos agraciaram essa palavra[162] com a nossa cidadania, eu não julgo que deva ser proscrita, <melhor ainda>, deve ser catapultada à sua cidadania. Logo, vou usá-la não apenas como admissível, mas como de uso corrente. Explicarei o que é essa "analogia".

5 Estávamos cientes da saúde do corpo, disso concebemos haver também uma saúde espiritual. Estávamos cientes da força do corpo, disso inferimos haver também o vigor es-

---

160 Suprido pelo editor do texto latino, referindo-se aos estoicos. Outras inserções entre <> nesta carta são também do editor do texto latino.

161 P. ex., na ep. 118.10, que não está nesta seleção. Os termos da discussão são similares.

162 A palavra "*αναλογία*" é de origem grega.

piritual. Alguns atos bondosos, alguns humanitários, alguns corajosos haviam nos espantado, passamos a admirá-los como perfeitos. Imiscuíam-se neles muitas falhas mascaradas pela impressão e brilho de um ato notável, essas nós dissimulamos. É da nossa natureza, exagerar nos elogios. Não há quem não coloque a glória acima da verdade: logo, foi desses atos que extraímos a impressão do bem sublime.

6 Fabrício[163] recusou o ouro do rei Pirro, julgando mais importante do que um reino o ser capaz de desdenhar as riquezas de um reino. Esse mesmo homem alertou Pirro contra possíveis armadilhas quando o médico de Pirro prometeu que envenenaria o rei. Foi um espírito pronto a não se deixar vencer pelo ouro nem disposto a vencer pelo veneno. Provocou em nós admiração esse homem sublime, que não havia se dobrado às promessas do rei nem às promessas contra o rei, tenaz em perseguir o bem e – o que é muito difícil – correto mesmo na guerra, do tipo que acreditava no respeito ao inimigo, alguém que, na extrema pobreza a que se submetera por decoro, refugou igualmente a riqueza e o veneno. Dizia: "Vive, Pirro, por meu beneplácito, e celebra o que até agora te doía: Fabrício não se deixa corromper!"

7 Horácio Cocles[164], sozinho, bloqueou a estreita passagem da ponte e ordenou que, desde que o inimigo fi-

---

163 *Gaius Fabricius Luscinus* foi um general romano nas guerras contra o rei Pirro, da Macedônia, com quem negociou prisioneiros no episódio referido nesta carta. Foi cônsul em 282 e em 278 a.C.

164 *Publius Horatius Cocles* barrou o acesso a Roma numa ponte sobre o rio Tibre, enfrentando os etruscos que tentavam reestabelecer o reino de Tarquínio, o Soberbo na recém-criada República, no século VI a.C.

casse sem uma rota, fosse interrompido seu próprio caminho de volta, e resistiu aos agressores por tanto tempo até que o madeiramento destruído ressoou com o enorme desabamento. Depois, ele olhou para trás e percebeu que a pátria estava fora de perigo graças ao risco que ele corria, e disse: "Se alguém quiser me seguir, que venha". E se lançou de cabeça no rio, de cuja rápida correnteza preocupava-se tanto em sair a salvo como armado. Tendo preservado o decoro de suas vitoriosas armas, regressou em segurança como se tivesse vindo pela ponte.

8 Foram esses atos e outros desse tipo que nos revelaram a imagem da virtude. Acrescentarei o que talvez pareça impressionante: houve vezes em que males deram a impressão de algo honroso, assim como a excelência transpareceu do seu contrário. De fato, como sabes, há vícios que confinam com virtudes e pode assemelhar-se o que é reto ao que é ruinoso e vergonhoso: assim, um esbanjador finge ser generoso, ainda que haja grande diferença entre quem sabe dar e quem não sabe poupar. Afirmo, Lucílio, que são muitos os que não estão ofertando, mas desperdiçando: eu mesmo não chamo de generoso quem é destemperado com a própria riqueza. A negligência imita a indulgência, a temeridade imita a coragem.

9 Essa semelhança obrigou-nos a atentar e a distinguir coisas que, ao menos pela impressão, se avizinham, mas que, na realidade, em muito distam. Ao observarmos homens insignes porque haviam feito algo destacado, passamos a notar quem fizera alguma coisa com espírito generoso e grande entusiasmo, mas uma vez apenas. Vimos um homem corajoso na guerra, covarde no fórum[165], suportando a pobreza com disposição, mas a infâmia com resignação: enaltecemos o ato, desdenhamos o homem.

10 Vimos outro, bondoso para com os amigos, moderado para com os inimigos, administrando o público e o privado com cuidado e boa-fé: paciência não lhe faltou para tolerar o que precisava ser tolerado, nem prudência ao fazer o que precisava ser feito. Nós o vimos entregando de mão aberta quando havia que distribuir; quando havia que se esforçar, o vimos pertinaz e obstinado, suprindo com o ânimo a fadiga do corpo. Além disso, era sempre o mesmo e autêntico em cada atitude: não era bom de caso pensado, mas levado pelo costume, que não só o fazia agir corretamente como não o deixava agir senão corretamente.

11 Passamos a entender que era nesse homem que residia a perfeita virtude. Nós a dividimos em partes: convinha refrear os desejos, reprimir o medo, planejar o que devia ser feito, distribuir o que era devido. Apreendemos a temperança, a coragem, a prudência, a justiça, e a cada uma atribuímos sua função. Logo, de onde veio nosso entendimento do que seja a virtude? Foi-nos revelado pela disciplina desse homem e seu decoro e sua constância e pela concordância de todas suas ações e sua grandeza, que se eleva acima de tudo. Daqui veio nosso entendimento de uma vida feliz, que flui num curso agradável, totalmente dona de si.

---

165 O fórum na Antiguidade era um espaço público para discursos judiciais e políticos, além do comércio.

12 Logo, como isso se mostrou a nós? Vou dizer. Jamais aquele homem perfeito e virtuoso reclamou da fortuna, jamais recebeu os incidentes com tristeza. Acreditando ser um cidadão do mundo e um soldado, assimilou os sofrimentos como se fossem ordens[166]. Nada do que lhe acontecera rejeitou como um mal que tivesse recaído sobre ele por acaso, mas como se lhe tivesse sido determinado. Dizia: "Seja o que for, é o que me cabe: é pesado, é difícil, nisso mesmo é que eu devo me empenhar".

13 Desse modo, inevitavelmente mostrou-se grande o homem que jamais gemeu por causa de males, jamais se queixou do seu destino. Deu-se a conhecer a muitos e, como tinha que ser, como um lume, resplandeceu entre as trevas e atraiu para si todos os espíritos porque era calmo e suave, em equilíbrio tanto com as questões humanas como com as divinas.

14 Tinha um espírito perfeito que alcançara seu ápice, além do qual nada há exceto a mente de deus, do qual uma parte fluiu até mesmo para esse coração mortal – nada é mais divino do que quando ele pensa na própria condição de mortal e toma ciência de que o ser humano nasceu para isso, para que cumprisse um ciclo de vida, e de que não é um lar esse nosso corpo, mas um alojamento e, com efeito, um alojamento temporário, que é preciso deixar quando se constata ser um peso para o anfitrião[167].

---

166 Cf. ep. 61.3, em que a ideia de aceitação é elaborada.

167 Cf. ep. 70.15-17, em que se trata do corpo como morada transitória.

15 Meu caro Lucílio, defendo que nossa maior prova de que o espírito vem de um lugar mais elevado é se ele julga encontrar-se numa condição abjeta e limitante[168], se não tem medo de partir: de fato, sabe para onde está partindo quem se recorda de onde veio. Não vemos quantas coisas incômodas nos afetam, quão pouco conveniente é esse corpo para nós?

16 Ora nos queixamos da cabeça, ora da barriga, ora do peito e da garganta. Às vezes os nervos, outras vezes os pés nos incomodam. Ora a diarreia, ora a tosse. De vez em quando, o sangue excede, de vez em quando, falta. Somos assolados de um lado e de outro, e expulsos. É o que costuma acontecer aos que ocupam o que não é seu.

17 Mas nós, providos de corpo tão precário, almejamos nada menos que a eternidade e depositamos enorme esperança em que possa ser prolongada ao máximo a existência humana – não há dinheiro, não há poder que nos contente. O que pode ser mais insolente ou estúpido que isso? Nada satisfaz quem está para morrer, ou melhor, quem está morrendo. De fato, a cada dia estamos mais perto do nosso último dia e cada hora nos impele até ele, de onde despencaremos no abismo[169].

18 Vê nossa cegueira intelectual: isso a que chamo "futuro" está acontecendo agora e grande parte dele já passou, pois o tempo que foi vivido por nós encontra-se no mesmo lugar em que estava antes que o vivêssemos. Ora, nós

---

168 Cf. ep. 65.24, em que o corpo é apresentado como limitante do espírito.

169 Cf. ep. 49.3 para a ideia de concentração do tempo: "Todo tempo que passou encontra-se no mesmo lugar, é visto simultaneamente, repousa junto: tudo despenca no mesmo abismo".

que tememos o último dia estamos errados, porque cada um de nossos dias colabora na mesma medida para nossa morte. Não é aquele degrau da vida[170] no qual desmoronamos que completa a fadiga, ele só a expõe. O derradeiro dia alcança a morte, cada um dos demais se acerca dela. Ela vai colhendo-nos, não nos arranca de repente. Por isso mesmo, um espírito grandioso, ciente de sua natureza superior, empenha-se, efetivamente, em portar-se com honradez e zelo no seu posto: não considera nada à sua volta seu, mas toma emprestado, como um viajante apressado.

19 Já que víamos alguém com tal constância, como não se imporia a nós a impressão de uma índole fora do comum? Especialmente se sua estabilidade revelava que era verdadeira sua grandeza, como eu já disse[171]. A integridade mantém-se com a verdade, falsidades não duram. Certos homens fazem às vezes o papel de Vatínio[172], às vezes de Catão, e, para eles, ora Cúrio é pouco severo, Fabrício é pouco pobre, Túbero é pouco frugal e comedido. Ora desafiam Lícino pela riqueza, Apício pelos banquetes, Mecenas pela libertinagem.

20 O maior indício de uma mente doentia é a instabilidade e a permanente oscilação entre a simulação de virtudes e o amor pelos vícios:

---

170 Cf. ep. 12.6, em que Sêneca associa um dia a um degrau na vida.

171 Sêneca retoma do parágrafo 11 o argumento da consistência e da grandeza desse homem exemplar.

172 *Publius Vatinius*: político romano do final da República acusado de corrupção; *Marcius Porcius Cato*: Catão, o Jovem ou Uticense, reconhecido como incorruptível (I a.C.); *Manius Curius Dentatus*: general romano (III a.C.); *Quintus Aelius Tubero*: estoico do século II a.C.; *Gaius Iulius Licinus*: escravo liberto que fez fortuna na Gália (I a.C.); *Marcus Gavus Apicius*: suposto autor do compêndio do século I a.C. *De re coquinaria* ("Sobre a culinária"); *Gaius Cilnius Maecenas*: ministro de Augusto (I a.C.)

Tinha muitas vezes duzentos, outras tantas, dez escravos;
ora falava de reis e tetrarcas, tudo que é grandioso, ora:
"Para mim, uma mesa de três pés, concha de sal puro,
uma toga, mesmo rústica, capaz de proteger-me do frio".
Simples e comedido, tivessem lhe dado um milhão,
em cinco dias nada restaria[173].

21 Há muitos homens como esse descrito por Horácio Flaco: nunca o mesmo, nem ao menos semelhante a si mesmo, a tal ponto se contradiz. Mencionei "muitos"? Quase certo que sejam todos assim. Não há quem não mude diariamente de opinião e de intenção: ora quer ter uma esposa, ora uma amante; ora quer ser rei, ora faz como se não houvesse escravo mais servil; ora sua empáfia é tanta que irrita, ora rebaixa-se e se deixa arrastar para um nível ainda inferior ao do mais humilde; ora dispende dinheiro, ora rouba.

22 É assim que um espírito imprudente se expõe abertamente: mostra-se ora um, ora outro e, o que julgo mais vergonhoso, não é autêntico. Leva em conta que é muito importante que o ser humano desempenhe um só papel[174]. Ora, além do sábio, ninguém desempenha um só, o resto de nós é multifacetado. Ora te pareceremos frugais e sérios, ora esbanjadores e frívolos. Trocamos de máscara e, assim que a tiramos, colocamos

---

173 Citação das *Sátiras* I.3.11-17, do poeta *Horatius Flaccus* (I a.C.).

174 Zenão de Cício, fundador do Estoicismo, defendia a homologia, ou seja, a coerência.

uma oposta. Logo, cobra de ti mesmo que te conserves até tua partida tal como decidiste que te apresentarias, garantindo que poderás receber cumprimentos ou, ao menos, ser reconhecido. De alguém que viste ontem já se pode dizer, com razão: "Quem é esse?" – tamanha a mudança.

Utopia

Sobre a melhor condição de uma república e sobre a nova ilha Utopia

Thomas Morus

A *Utopia* é certamente uma das obras mais canônicas do ocidente, e muito já se disse sobre o *opus magnum* de Thomas Morus (1478-1535).

Publicado pela primeira vez em 1516, na Bélgica, o livro teve ainda três outras edições das quais Thomas Morus participou: em 1517, em Paris, e em março e novembro de 1518, na Basileia. Celebrada por seus contemporâneos, a obra, traduzida para o inglês já em 1551 por Ralph Robinson, atravessou séculos de (re)leituras e (re)interpretações, tornando-se uma das mais proeminentes do século XVI.

No livro o pensador inglês imagina uma sociedade perfeita, sem diferenças, que resulta em um estado de bem-estar entre os seres humanos. Baseado nessa ideia de sociedade perfeita, o autor faz uma crítica contra os males econômicos e políticos de seu tempo, e apela pela volta de uma sociedade equilibrada e pacífica.

Thomas Morus *foi homem de estado, diplomata, escritor, advogado e homem de leis. Ocupou vários cargos públicos, e em especial o cargo de "Lord Chancellor" (Chanceler do Reino – o primeiro leigo em vários séculos) de Henrique VIII da Inglaterra. É considerado um dos grandes humanistas do Renascimento. Sua principal obra literária é* Utopia.

Elogio da loucura

Erasmo de Roterdã

Elogio da loucura é considerada, hoje, uma das obras mais influentes sobre a literatura do mundo ocidental e um dos catalisadores da Reforma Protestante.

O autor concebeu as grandes linhas dessa obra durante suas viagens de trem entre a Itália e a Alemanha, em seguida, revisou e desenvolveu seu trabalho, originalmente escrito em uma semana, durante sua estadia na residência de Thomas Morus (autor de *Utopia*), em Bucklersbury, Inglaterra. Para surpresa do próprio, a obra teve uma grande difusão e conheceu um imediato sucesso e prestígio.

Desidério Erasmo *nasceu em Roterdã (Holanda) em 1466 e morreu na Basileia, Suíça, em 1536. Famoso escritor humanista, cujas ideias marcaram o Renascimento, foi homem influente, de vasta cultura e formação católica, e um dos maiores críticos do dogmatismo e da moral do clero. Entre seus escritos, de imaginação inteligente, clareza descritiva e estilo satírico, destaca-se o* Elogio da Loucura, *escrito em 1509, um discurso em que a Loucura discorre com agudez e lucidez sobre assuntos cotidianos mostrando a limitação das ciências e a insensatez da razão.*

EDITORA VOZES LTDA.
Rua Frei Luís, 100 – Centro – Cep 25689-900 – Petrópolis, RJ
Tel.: (24) 2233-9000 – E-mail: vendas@vozes.com.br